EUGENIO MUSSAK

um
E OUTRAS CRÔNICAS
novo
SOBRE UM
olhar
MUNDO VOLÁTIL

um
E OUTRAS CRÔNICAS
novo
SOBRE UM
olhar
MUNDO VOLÁTIL

EUGENIO MUSSAK

Integrare
business

Copyright © 2016 Eugenio Mussak
Copyright © 2016 Integrare Editora e Livraria Ltda.

Editores
André Luiz M. Tiba e Luciana Martins Tiba

Coordenação e produção editorial
Estúdio Ciça Reis Comunicação

Copidesque
Rafaela Silva

Revisão
Pedro J. Reis

Projeto gráfico e diagramação
Gerson Reis

Capa
Q-pix – Estúdio de criação – Renato Sievers

Dados Internacionais de Catalogação na Publicação (CIP)
Andreia de Almeida CRB-8/7889

Mussak, Eugenio
  Um novo olhar : e outras crônicas sobre um mundo volátil
/ Eugenio Mussak. -- São Paulo : Integrare Editora, 2016.
  224 p.

ISBN 978-85-8211-076-8

1. Crônicas 2. Reflexões 3. Filosofia I. Título

CDDB869.8   16-0708

Índices para catálogo sistemático:
1. Crônicas brasileiras

Todos os direitos reservados à INTEGRARE EDITORA E LIVRARIA LTDA.
Rua Tabapuã, 1123, 7º andar, conj. 71/74
CEP 04533-014 – São Paulo – SP – Brasil
Tel. (55) (11) 3562-8590
Visite nosso site: www.integrareeditora.com.br

dedicatória

Para Rodrigo e Erik, meus filhos.
Ambos mudaram, e mudam, meu olhar sobre
a vida e seus valores.

apresentação

á muitos anos ouvi pela primeira vez uma palavra que eu não conhecia, mas, muito jovem, e talvez envergonhado de minha ignorância, tratei de fazer de conta que havia entendido o que meu interlocutor queria dizer a respeito de outra pessoa, sobre quem falávamos, e de quem tínhamos algumas queixas.

"O problema é que ele é extremamente sectário" – foi o que ouvi, e não entendi, mas concordei com a cabeça. Como o assunto era um terceiro amigo, que eu conhecia bem, e de quem gostava muito apesar dos defeitos (que é como todos nós gostamos dos amigos, não é mesmo?), pude deduzir o que meu interlocutor queria dizer. Afinal, o outro era o que costumamos chamar de cabeça-dura.

Mais tarde pedi a ajuda de outro amigo – este, sem defeitos, sempre me acudiu em momentos de dificuldade.

Seu nome é dicionário..., e descobri que sectarismo é um substantivo masculino derivado do latim *sectarium*, e se refere a alguém que pertence a uma seita e que é seguidor de seus dogmas. Até aí tudo bem, mas, como os dogmas são verdades que não admitem contestação, e são a base das crenças, a palavra passou a ser aplicada, de modo pejorativo, a todos aqueles que não aceitam discutir qualquer tema que contenha alguma oposição às suas convicções.

Percebi, então, que aquele amigo era desse tipo, sim. Era o dono da verdade. Todos deveríamos ser vassalos de suas opiniões, e pronto. Ele jamais aceitava mudar sua opinião, rever seus conceitos, ouvir a versão alheia. Ele nunca lançava um novo olhar sobre velhas opiniões. Jamais ajustava suas lentes internas para ver com mais nitidez um tema, uma situação ou uma possibilidade. Devo dizer que a convivência com pessoas assim pode, até, ser divertida, se você tiver muito bom humor, mas se torna difícil em qualquer cotidiano.

É verdade que, para cada um de nós, o mundo é exatamente como o vemos. E é bem possível que a realidade seja o conceito que tem mais variações, pois ela sempre será apresentada a partir da percepção de cada um, e esta, como sabemos, além de individual, é mutante. Uma das vantagens de já ter vivido bastante, é ter a noção de que nada é permanente, a começar pela maneira como vemos, analisamos, entendemos e reagimos aos fatos da vida.

Mas, para se beneficiar dessa mutância, é preciso estar dotado de um espírito leve, ter preservado a qualidade infantil da curiosidade, e possuir a humildade dos que são sábios. Vale a pena, acredite, pois aumenta tremendamente nosso potencial de aprender e de conviver com a miríade de interpretações, até encontrarmos a que mais se aproxima da vida como ela é.

Ao juntar os textos que dão corpo a este livro, me dei conta que o traço comum a eles é a proposta de reanalise de fatos, muitas vezes corriqueiros e, por isso mesmo, cristalizados conceitualmente.

Como explicar que personagens tão diferentes como Fritjof Capra, Andrew Lloyd Weber, Malcolm Gladwell, Gerard Moss e Astor Piazzolla convivam, harmoniosamente em um mesmo texto? O que um físico, um criador de óperas, um jornalista investigativo, um piloto de avião e um compositor de tangos têm em comum?

O corpo deste livro explica. Além de introduzir outros tantos personagens fascinantes, todos eles capazes de promover um novo olhar sobre o mundo e sobre a vida, com suas infinitas possibilidades.

Sem prepotência, sem a ambição de ser o antídoto ao sectarismo, mas com o desejo sincero de tocar corações e mentes de forma leve, este breve livro, composto por trinta textos provocativos, oferece a sugestão do novo olhar sobre alguns fatos, com os quais, todos nós nos relacionamos de alguma forma.

um novo olhar

Temas como a sustentabilidade, o tempo, a dor, a necessidade, o desejo, a coragem e a elegância, são aqui apresentados através de breves crônicas do cotidiano, a maioria vividas pelo autor.

O olhar da capa, sugerido pelo editor, é o olhar da criança, livre de estereótipos e de preconceitos. Curioso e atento, sempre disposto a olhar de novo e ver o novo. É o olhar da esperança, do porvir, da renovação e da alegria. É o olhar com que eu tenho tido o maravilhoso privilégio de conviver há um ano. O olhar da contracapa tenta, nem sempre com sucesso, imitá-lo.

Ao apresentar a você, meu leitor amigo, mais este livro, aproveito para agradecer à Lu, minha companheira da aventura de viver. Sem ela, quase nenhuma de minhas obras teria acontecido nos últimos 16 anos. A começar pelo olhar da capa...

Minha gratidão também à Luciana e ao André Tiba, meus competentes, pacientes e insistentes editores.

Bom novo olhar!

Eugenio Mussak
Julho 2016

sumário

dedicatória 5

apresentação. 7

1 um novo olhar 15

2 tudo se conecta 21

3 o uróboro 27

4 a aventura da rotina .35

5 bendita frustração 41

6 detalhes. 49

7 as sobremesas. 57

8 abandono 63

9 glória do cotidiano. .69

10 o bom e o belo 75

11 otimismo. 81

12 um ensaio sobre a dor 87

13 sempre tem um *mas*..........................93

14 o maestro e o tubarão 99

15 tempo, inteligência e coragem 105

16 adaptação não é acomodação...............111

17 a alavanca e o braço.......................117

18 o desapego pragmático 123

19 aprendendo a desaprender
    (ou como manter a alma nua)..............129

20 capricho 135

21 ops, derrubei a torta!.....................141

22 mantendo a calma 147

23 falar é bom, fazer é melhor 155

24 a esquina de babel 163

25 um homem elegante 171

26 uma experiência sensual 179

27 um drinque em nova iorque 187

28 o *terroir* de cada um......................197

29 um lugar sagrado 205

30 o trem para paris 213

um

novo

olhar

1

um novo olhar

Não pense em como as coisas poderiam ter sido. Pense em como elas podem vir a ser.

Finalmente visitei a Ópera de Paris. Sempre tive atração por aquele monumento também conhecido pelo nome de *Opéra de Garnier*, em homenagem a seu arquiteto. Queria ver a arquitetura neoclássica, o impressionante sistema construtivo, que permitiu levantar um palácio em cima de um pântano e conhecer melhor sua história, que se confunde com algumas revoluções, tão caras aos franceses.

Mas, confesso, meu maior fascínio era uma ficção. Sim, pois teria sido aquele lugar fantástico o lar de um

um novo olhar

personagem misterioso, temido, injustiçado. Estou me referindo ao Erik, o fantasma. O Fantasma da Ópera. Quando vi o lustre de sete toneladas pendurado sobre o auditório de poltronas de veludo vermelho, por exemplo, não pude deixar de pensar em como o Fantasma o teria derrubado. E como teria provocado o blackout instantâneo para sequestrar Christine do palco. Por qual porta teria saído? Para onde a teria levado? Coisas da imaginação...

Na verdade, três histórias se encontram naquele lugar. A história da ópera em si, a do fantasma e a do mito em que ele se transformou. A ópera foi uma encomenda do imperador Napoleão II ao prefeito de Paris, o genial urbanista Georges-Eugène, o barão de Haussmann, em 1858. O prefeito, que estava redesenhando Paris no traçado que tem até hoje, definiu o local onde deveria ficar o edifício e abriu concorrência entre arquitetos de toda a Europa. O vencedor foi Charles Garnier, com um projeto maravilhoso. Seria caríssimo, mas era compatível com o espírito de grandeza da época.

Um rio subterrâneo quase inviabilizou a obra, que só prosperou pela teimosia de Haussmann, que não queria mudar o local; pela competência do próprio arquiteto e pela fortuna que o imperador resolveu investir. O terreno foi sendo "encaixotado" com pedras e betume, formando um lugar seco para os alicerces. Hoje há um lago no subterrâneo, onde a fundação é permanentemente verificada pelos engenheiros franceses.

A obra foi interrompida durante a revolução que depôs o imperador, sendo os porões da ópera usados como prisão, local de tortura e morte. Foi daí que surgiu a lenda de que os fantasmas daqueles que lá morreram circulam pelas salas e corredores para sempre.

No começo do século XX, um dos frequentadores do ópera era o jornalista e escritor Gaston Leroux, autor de contos e romances ligeiros, e que estava em busca de uma obra definitiva. Fã de Vitor Hugo, Bram Stoker e Mary Shelley, Leroux queria seu próprio Quasímodo, Drácula ou Frankenstein. Foi quando, em 1910, na ópera, teve a ideia de criar um fantasma... seu Fantasma, para assombrar o imaginário e a emoção dos leitores.

A história de Erik, um ser misterioso, de aparência horrível, que se apaixona por uma bela soprano e termina por raptá-la, provocou algum interesse nos meios literários, mas logo caiu em esquecimento. Gaston Leroux não era, definitivamente, um Vitor Hugo.

Mas, o que lhe faltava em estilo foi compensado por uma boa dose de sorte. Em uma noite cultural de Paris, acabou conhecendo um americano judeu baixinho, chamado Carl Laemmle, que era, simplesmente, presidente da Universal Motion Pictures de Hollywood.

Por sorte ele tinha um exemplar de seu livro no bolso. Por sorte o americano teve insônia naquela noite. Por sorte o leu, e gostou do que leu. Por sorte ele tinha recém produzido um filme sobre o corcunda de Notre Dame, numa Paris cenográfica caríssima, que podia ser

um novo olhar

reaproveitada para uma nova produção. O filme foi feito e deu início a uma nova fase do Fantasma. Depois desta, outras versões surgiram, sendo o Fantasma interpretado por importantes atores na época, como Lon Chaney Jr., Calude Reins e Maximilan Schell, com imensas intervenções no texto original.

Mas foi um desconhecido produtor teatral de Londres que provocou, sem querer, a nova virada na carreira do Fantasma, muitos anos depois. Sua montagem, em um pequeno teatro ao leste de Londres, não fez muito sucesso, mas quis o destino que, entre os espectadores estivesse um conterrâneo seu chamado Andrew Lloyd Weber, que se transformaria no fabuloso compositor, produtor, diretor e homem de negócios, responsável pela ressignificação dos musicais, entre eles *Cats*, *Evita* e *Sunset Boulevard*.

E foi Weber que lançou um novo olhar sobre a história de Monsier Leroux. Até então a trama era trabalhada como uma historia de terror. No lançamento do filme, por exemplo, em um bem bolado plano de marketing, havia sais aromáticos no saguão do cinema para acudir as madames mais exaltadas. O Fantasma de então era um *thriller*. Só Weber percebeu que aquela tragédia era, na verdade, uma história de amor.

A partir de então, tudo mudou para Erik, o Fantasma da Ópera. Agora ele seria um herói, um homem destituído de beleza física, marginalizado pelo preconceito, atormentado pela solidão, mas forte o suficiente para sobreviver à desgraça e para lutar por seu ideal de amor, Christine.

O musical de Lloyd Weber acabou sendo o mais visto de todos os tempos. Dezenas de montagens já foram realizadas, inclusive em São Paulo. Milhões de pessoas em todo o mundo já derramaram lágrimas ao ouvir Christine cantando *"In sleep, he sang to me, in dreams he came..."* e o Fantasma respondendo *"Sing once again with me, our strange duet..."*. Impossível não se emocionar.

Essa historia toda me faz refletir sobre a importância do novo olhar. Ver o que não se viu ainda. Perceber o novo, procurar novos ângulos, estabelecer novas relações, criar perspectivas inéditas. Weber é Weber porque percebeu o amor do Fantasma, o drama humano de Evita, a alegria dos gatos de beco. Todos já vimos um gato. Quantos de nós o imaginamos cantando *Memory*?

Mas ninguém precisa ser Weber, Lammle, Garnier, nem Ledoux. Não precisamos escrever livros, construir teatros, produzir filmes ou musicais como exercício para o novo olhar sobre a vida.

Basta olhar com novos olhos nosso cotidiano, o trabalho, o casamento. Esse é um exercício simples, que resulta em resultados igualmente mágicos e transformadores. Como disse Christine, em um dos diálogos com o Fantasma, "Não pense em como as coisas poderiam ter sido. Pense em como elas podem vir a ser".

2

tudo se conecta

**A falta de percepção das interdependências
está matando nosso planeta.**

O corredor era longo naquele prédio imponente em Brasília onde eu tinha acabado de dar uma palestra, e agora caminhava com passos largos. Ao longe vi o homem que iria encontrar. Como eu, ele também caminhava apressado e, como eu, era um sujeito alto e magro, com cabelos revoltos. Quando nos aproximamos, sorrimos um para o outro.

— Gérard?

— Eugenio?

um novo olhar

Apresentados pelo Júlio Fiadi, nosso amigo comum, eu e o Gérard Moss rapidamente nos tornamos íntimos, pois tínhamos interesses e visões de mundo muito parecidas. Além disso, esse suíço-inglês naturalizado brasileiro, engenheiro mecânico, piloto de avião, pesquisador e defensor incansável da ecologia, tem uma qualidade que considero imprescindível: o bom humor.

Inteligente e de espírito livre, Gérard coleciona aventuras, desde uma viagem de mobilete pelos Alpes aos treze anos e uma travessia do Pacífico em um pequeno veleiro, até duas voltas ao mundo em pequenos aviões. Aliás, aviões brasileiros: um monomotor Sertanejo e um motoplanador Ximango.

Mas o que eu estava realmente interessado em conhecer era sua pesquisa sobre os "rios voadores", um dos melhores exemplos de interdependência que a Natureza nos dá. E que parece que teimamos em não entender.

Gérard, que voou 120.000 quilômetros com sua mulher Margi, em um avião anfíbio, pousando em rios, lagos e represas Brasil afora, é um dos grandes conhecedores da situação de nossas águas. Fez 1.160 coletas, depois analisadas por cientistas em laboratórios especializados. A este projeto, chamado "Brasil das Águas", seguiu-se outro, em que o aviador procurou identificar a origem do vapor d'água, das chuvas e dos rios no Brasil. Então surgiu o conceito dos rios voadores.

— Resumindo – disse ele, didático, enquanto terminávamos nosso café – a umidade gerada pelo Oceano

Atlântico é trazida para o continente pelos ventos alísios. É atraída pela floresta Amazônica, que a absorve, funcionando como uma bomba de água. Depois, a umidade passa pelo ciclo da floresta e é propelida em direção à Cordilheira dos Andes.

— A água então cruza a Cordilheira em direção ao Pacífico? – perguntei.

— Só uma parte. Como a Cordilheira é uma barreira com mais de 4 mil metros, a maior parte desvia para baixo, trazendo água para o centro-oeste, sudeste, sul do Brasil e para os países vizinhos. Essa água vem em forma de umidade e provoca as chuvas nessas regiões. Estes são os importantíssimos rios voadores.

— É por isso que o Brasil inteiro deve cuidar da Amazônia – concluí – senão vai faltar água para todos, como já está acontecendo.

— Exatamente, o nível de interdependência das regiões brasileiras no que diz respeito ao clima é imensa. Muito maior do que a maioria das pessoas imagina. Por isso a informação é fundamental, para aumentar a conscientização de todos, a começar pelos políticos e grandes empresários. Se acabarem os rios voadores, vão acabar também os rios e os reservatórios de onde tiramos água para beber.

Entre todas as conversas que tive com pessoas espetaculares, sobre as interdependências da natureza e da vida humana, esta, com o Gérard Moss, foi uma das mais impactantes. Talvez porque ele não seja um teórico de gabinete. É um viajante diferenciado, que esteve em todos os lugares, que sentiu o gosto das águas e que voou ao sabor dos ventos, da pressão atmosférica e da umidade dissolvida no ar, no Brasil e no mundo. Ele insiste no potencial hídrico de nosso país, "o maior e melhor do mundo", mas está preocupado com as mudanças provocadas pelo desrespeito à verdade lógica e cristalina de que tudo está ligado a tudo.

Outra pessoa especial com quem tive o prazer de conviver é o físico austríaco Fritjof Capra. Nos conhecemos em um congresso e rapidamente identificamos nossos pontos de convergência. Seus livros, especialmente o *Ponto de Mutação* e o *Tao da Física*, provocaram um forte impacto em minha juventude e estimularam minha curiosidade para sempre. Estivemos juntos em Berkeley, onde ele mora, e no Mato Grosso, quando navegamos pelo rio Cuiabá.

— A falta de percepção das interdependências está matando nosso planeta – disse-me ele, que deixa isso cientificamente claro em seu livro *A Teia da Vida*. O que me intriga é que ele fala calmo, sorrindo, enquanto me serve vinho no restaurante de tapas próximo à universidade.

Capra tem um ar de condescendência com a ignorância, mas não se acomoda. É um paladino da *ecological literacy* – a alfabetização ecológica, a habilidade para entender os fenômenos naturais de que fazemos parte.

Sua obra mais conhecida é *O Ponto de Mutação*,

em que ele defende que devemos desenvolver um pensamento holístico, em oposição ao pensamento cartesiano, reducionista e fragmentário vigente. O livro inspirou o filme *Mindwalk*, que no Brasil conservou o nome do livro. Nele, três pessoas conversam durante uma visita à ilha de Saint Michel, na França – um senador americano, uma física nuclear e um poeta. O dialogo é maravilhoso.

Em uma passagem, o senador Jack Edwards diz que precisa ver as partes para entender o todo, que não consegue descrever uma árvore sem falar do tronco, dos galhos, raízes ou folhas. Pobre senador... É quando a cientista Sonia Hoffman alega que isso é muito pouco, que é melhor ver a árvore em função de suas interdependências, sem falar de suas partes. Diz ela:

— Há trocas sazonais entre a árvore e a terra, entre a terra e o céu. Uma gigantesca respiração que a Terra realiza com suas florestas nos dando oxigênio. O sopro da vida, ligando a Terra ao céu e nós ao Universo. Uma árvore é o habitat de pássaros, o lar de insetos. Dos frutos que ela produz, só um ou dois resultarão em novas árvores, entretanto, centenas de aves e outros animais sobreviverão graças a eles. A árvore também não sobrevive sozinha. Para tirar água do solo depende dos fungos que vivem em suas raízes. O fungo precisa da raiz e a raiz precisa do fungo. Se um morrer o outro morre também. A isso chamamos de interdependência.

Definitivamente, entender a teia da vida, as relações de causalidade, as comunicações incessantes entre tudo

um novo olhar

e todos, a interdependência dos homens entre si, com a sociedade e com a natureza é mais do que cultura geral, é consciência, abertura de mente, lucidez. E é, também, questão de sobrevivência. Para pensar.

3

o uróboro

Ao alimentar-se de si mesmo, mantém-se vivo, cresce e providencia a substância que irá alimentá-lo novamente.

A serpente é um animal cheio de simbolismos. Aparece em *Gênesis* armando confusão entre Adão e Eva; representa a fertilidade em Canaã; a força política no Egito; e a renovação da vida no Caduceu de Mercúrio – o estandarte símbolo da medicina.

A serpente é ambígua, pois representa, simultaneamente, o medo e a admiração, o respeito e a inveja, o belo e o horrível. Ao mesmo tempo em que a detestamos

um novo olhar

pelo perigo de seu veneno e por sua capacidade de aparecer e desaparecer de repente; admiramos a elegância de seus movimentos e sua liberdade – mesmo presa em um aquário, parece livre, pois aquieta-se, ocupa todos os espaços disponíveis e apodera-se da segurança que o cativeiro lhe fornece.

E foi no Egito que surgiu uma versão única da serpente: aquela em que ela aparece comendo sua própria cauda – o uróboro. Esta serpente que se engole, quer representar o eterno recomeço da vida, mas permite outras interpretações.

Usemos a imaginação: ao formar um círculo, o uróboro cria um espaço interno e outro externo. O lado de dentro simboliza o mundo percebido, a vida como a conhecemos, a matéria, o concreto, a natureza, a ciência. E, no lado de fora, de dimensão desconhecida, provavelmente infinita, caberiam todos os mistérios da vida, de sua origem e de seu fim – os grandes dilemas humanos.

Fora do uróboro está o infinito, e nele estamos contidos, pois o círculo criado pela serpente delimita um espaço do todo e fragmenta o infragmentável, criando um fractal do infinito. Nossa esperança infantil e nossa arrogância ingênua desejam que o uróboro abra a boca e nos coloque em contato com o todo, com o divino, para então dominá-lo, sem percebermos que provavelmente seríamos absorvidos pelo infinito e pelo eterno, tornando-nos nada.

É confuso? Pode ser, mas também é fantástico.

É só prestar atenção para descobrir que, se o uróboro continuar a se comer, terminará por consumir-se e desaparecerá, deixando-nos ao mesmo tempo sem o interno e sem o externo. Por outro lado, se parar de se alimentar, desaparecerá por inanição, e a humanidade morrerá com ele. Parece que não temos saída.

Mas, diz a lenda que o uróboro, ele mesmo, não teme por sua sorte, pois descobriu o segredo da vida eterna, da sustentabilidade infinita. Ao alimentar-se de si mesmo, mantém-se vivo, cresce e providencia a substância que irá alimentá-lo novamente. E nesse *moto perpetuo*, absorve energia do externo, do todo, e mantém o interno vivo. A sabedoria do uróboro reside em não parar de alimentar-se, porém, sem extrair de si mesmo, mais do que necessita para manter-se capaz de continuar produzindo a substância que lhe garante a vida. Uau!

Pode parecer exagero, mas, o uróboro nos ensina o segredo da sustentabilidade: não consuma mais do que você precisa para manter-se vivo, e use o resultado de sua produção para recompor o substrato que lhe permita produzir. Simples assim. Sim, simples, mas não fácil.

Em 1987 uma bela e poderosa mulher, a norueguesa Gro Harlem Brundtland, subiu com passos decididos na tribuna da ONU e explicou: "Sustentabilidade é satisfazer as necessidades do presente, sem comprometer a capacidade das gerações futuras satisfazerem suas próprias necessidades".

Essa definição fazia parte da Declaração Universal

sobre a Proteção Ambiental e o Desenvolvimento Sustentável, que passou a ser conhecido por "Relatório Brundtland" em homenagem a Gro, que havia sido primeira-ministra de seu país e que agora ocupava a presidência da Comissão Mundial sobre Meio Ambiente e Desenvolvimento.

Nessa declaração encontramos propostas para novas formas de providenciar o progresso humano, sem comprometer a fonte da riqueza. O mundo se desenvolve, a população se multiplica, a economia se expande. Mas cuidado, pois nos dias em que vivemos não podemos abordar os temas clássicos como a geração de riqueza, a política internacional, a educação de jovens, a administração de empresas, sem colocar na pauta o crescimento sustentável.

A ideia é transformar a inteligência humana em aliada do planeta, levando o homem a frear seu instinto predador. Sustentabilidade tem a ver com a prática de consumir sem esgotar, de viver sem comprometer a vida, de ter responsabilidade com o futuro. E isso tem a ver com o que cada um de nós faz em seu dia a dia, e não apenas com os pensadores e os políticos.

Pensar no futuro não é mais, ou não deveria ser, tarefa exclusiva dos futurólogos e preocupação apenas dos ecologistas. Deveria estar na ordem do dia de cada habitante deste planetinha, o único que temos, diga-se. Para isso seria necessária a criação de uma nova consciência humana, a de que, cuidando, não vai faltar.

Mas, o que acontece é que a competitividade global está dificultando a sobrevivência das empresas e das pessoas, e é difícil, sejamos honestos, alguém pensar no futuro, se está com dificuldades para garantir o presente.

Todos nós temos necessidades imediatas e procuramos atendê-las rapidamente, pois elas nos provocam desconforto ou sofrimento. Só que a modernidade acrescentou novas necessidades à nossa sobrevivência. O homem de antigamente precisava de comida, roupas, abrigo. Hoje também, mas agora acrescentamos outras prioridades como educação, lazer, relações, tecnologia, comunicação, transporte de massa. Além disso, mudou a frequência das necessidades. Assim como a comida, hoje consumimos outras coisas que precisaremos consumir de novo amanhã, e depois de amanhã, em uma escala muitas vezes crescente.

A lógica da sustentabilidade nos obriga a pensar sobre a linha do tempo próxima e remota, pois precisamos atender às necessidades pessoais de hoje, lembrando que teremos outras amanhã. Vem daí a ideia da sustentabilidade pessoal. Usando o exemplo do consumo, apenas medir se uma prestação cabe no orçamento e enfiar-se em uma dívida para comprar algo que precisamos no momento pode prejudicar o orçamento por um bom tempo e, como consequência, as necessidades do amanhã.

O conselho é este: você até pode gastar hoje o que vai ganhar amanhã, desde que não perca de vista que amanhã você vai ter outras coisas para gastar. Desejos

um novo olhar

e recursos são passageiros do mesmo barco. E isso vale para o planeta, para uma empresa, para uma família e para cada um de nós.

É famosa a história daquele playboy que herdou uma grande fortuna e resolveu dedicar a vida apenas a gastá-la. Ele fez um cálculo simples, reservando uma parte do dinheiro para cada ano que ele imaginou que iria viver. Só que ele foi surpreendido por sua boa saúde: viveu muito mais do que imaginava. A consequência foi que ele passou cerca de vinte anos com extrema dificuldade para se manter, e como não havia se preparado para exercer nenhuma profissão, não tinha como ganhar dinheiro. Dependeu da ajuda de parentes e amigos até para comprar comida e remédios. Foi uma vida não autossustentável.

Guardadas as proporções, isso acontece com muita gente que não previne seu futuro, o que poderia ser feito através de uma poupança, de um negócio ou de um plano de previdência. E é também o que está acontecendo com o planeta, pois estamos gastando demais seus recursos sem preocupação com seu esgotamento. Quem vai pagar essa conta são nossos descendentes.

Com frequência nos perguntamos que planeta queremos deixar para nossos filhos, mas deveríamos mesmo é nos perguntar que filhos queremos deixar para o planeta. A ideia da sustentabilidade passa, necessariamente, pela educação, pela criação de uma "mentalidade sustentável". Há comunidades em que a ideia da sustentabilidade faz parte do senso comum, não é apenas uma visão cientifica, política ou acadêmica. Faz parte do cotidiano. Mas, nesses casos, houve investimentos em educação, e não apenas na criação de leis, normas e punições.

Em Curitiba, um exemplo que eu conheço bem, a separação doméstica de lixo é uma das maiores do mundo. Quase ninguém deixa de separar o lixo comum do lixo reciclável em casa. Todo o material de plástico, vidro, papel ou tecido é armazenado em algum lugar e entregue a um caminhão especial, verde, que passa duas vezes por semana, em todos os bairros da cidade – o caminhão do "lixo que não é lixo".

Neste caso, três fatores contribuíram: a educação das crianças nas escolas, a competência da prefeitura que manteve a coleta seletiva, e a ação do tempo. Esse programa levou trinta anos para se consolidar. As novas gerações educaram as mais velhas, numa maravilhosa inversão dos fatos históricos. Os filhos ensinaram os pais o que haviam aprendido na escola. É um belo exemplo de preocupação com a sustentabilidade de uma cidade, no que diz respeito ao manejo de matérias que podem ser recicladas e reaproveitadas para produzir novas coisas.

Educação, conscientização, estratégias, recursos. Talvez pudéssemos chamar tudo isso de vontade política, o que não tem a ver apenas com os políticos, e sim com cada pessoa. Eu, pessoalmente, durmo melhor quando sinto que, naquele dia, pratiquei algo que, de alguma forma colaborou com o meio ambiente. Pode ser a

um novo olhar

economia de água, o uso de transporte coletivo, o fato de dispensar a sacola plástica do supermercado levando uma sacola de pano, coisas pequenas, mas que são as que vão fazer a grande diferença no final. Isso é o que o Capra chama de *ecoliteracy* – alfabetização para a ecologia.

É urgente que caminhemos em direção a essa alfabetização. E é bom que tenhamos pressa, porque o uróboro está quase abrindo a boca...

4

a aventura da rotina

"Todo dia ela faz tudo sempre igual", cantou o Chico. "E me acorda às seis horas da manhã..." Era eu na música. Éramos nós. Todos nós... Menos o Mick Jagger, talvez...

Mais um dia estava começando. Era final de junho e fazia frio. Apesar disso, resolvi sair a pé pelas ruas de Curitiba, às sete horas da manhã, em direção ao colégio. As aulas começavam às sete e meia em ponto, eu caminharia uns vinte minutos e ainda tomaria uma xicara de chá mate antes de começar a primeira aula do dia. O tema seria o Evolucionismo, a aventura de Darwin, a chaga mais profunda no Narciso que a humanidade carrega dentro de si, arrogante, considerando-se a escolhida e a superior sobre as outras espécies. Coube ao inglês nos informar que também somos bichos, e que a Natureza não nos pertence, nós é que pertencemos a ela. Será que eles entenderiam?

Enquanto caminhava, esfregava as mãos buscando o calor do atrito e puxava para baixo o gorro de lã que teimava em subir, deixando as orelhas desprotegidas. Para quem foi criado na capital do Paraná, dias frios são rotina. No final do verão os curitibanos até desejam o ar gelado e reconfortante em seus rostos. Sentem-se bem, animados, dispostos ao trabalho. Com vontade de comer pinhão cozido e tomar vinho quente, de preferência em frente à lareira ou ao fogão a lenha, tão familiar aos descentes dos imigrantes do norte da Europa.

Observava as pessoas que cruzavam comigo, pareciam velhos conhecidos. A maioria usava roupa pesada, alguns daqueles casacos que, ao contrário dos ursos, hibernam no verão e acordam no inverno, cheirando a naftalina. De repente vi algo – ou alguém – diferente. Uma pessoa de sexo indefinido passou embrulhada em um cobertor que lhe escondia a cabeça. Dava passos decididos e, da extremidade superior da trouxinha em que havia se transformado, saia um bafo quente que condensava no ar, criando uma nuvem efêmera, denunciando a troca de gases com a atmosfera. "É isso que somos" – pensei. "Entrepostos de produtos químicos. Enquanto interagimos quimicamente com o planeta, nos mantemos vivos".

E foi aquele vulto exótico que me fez pensar sobre meu dia. Ou melhor, sobre meus dias. Eu já tinha percorrido aquele caminho centenas de vezes. Conhecia cada loja, cada lanchonete, os porteiros dos prédios e até as imperfeições da calçada pela qual caminhava. O percurso era trivial, corriqueiro e até monótono. Era sempre igual, como seria igual meu dia. As mesmas aulas, os mesmos alunos, suas dúvidas e indisciplinas. As conversas com os colegas na sala dos professores, os assuntos de sempre, as dificuldades da carreira do magistério, os novos livros que estavam lendo e os resultados do futebol. Rotina.

Muitas vezes eu me queixava da rotina. Da falta de emoções, da mesmice do cotidiano, da ausência total de surpresas. "Todo dia ela faz tudo sempre igual", cantou o Chico. "E me acorda às seis horas da manhã...". Era eu na música. Éramos nós. Todos nós... Menos o Mick Jagger, talvez...

Mas, o cobertor ambulante que exalava uma nuvem, me fez repensar tudo. Eu nunca havia visto tal criatura antes, era uma novidade. Os dias que pareciam ser sempre iguais talvez não fossem tão iguais, afinal de contas. Novos personagens no palco, ou velhos personagens interpretando novos papéis, sei lá. Comecei a prestar atenção. Passei a lançar novos olhares sobre velhas coisas. O resultado? Comecei a ver coisas que não havia visto nunca antes, apesar de estarem ali, diante de mim, desde sempre.

E comecei a pensar. O que é a realidade, afinal? Será que a verdade existe? O que é, sempre será? Estas são algumas entre as perguntas que a alma humana se faz e que não encontram respostas. Pelo menos não respostas satisfatórias. E, quando não há respostas, as perguntas acabam sendo dirigidas a ninguém e a todos ao mesmo tempo. Perguntas dirigidas a filósofos poderiam ser respondidas por físicos quânticos com a mesma propriedade. E vice-versa. Aliás, estas são duas áreas do pensamento humano que, com frequência, se encontram na esquina da rua da dúvida com a avenida da incerteza. E ambas estão cheias de razão.

Uma das afirmações em que filósofos e físicos estão de acordo, é que o olhar do observador tem o poder de modificar o fato observado. O olhar. A maneira como vemos o que vemos, essa é a chave. Para modificar a realidade temos que, primeiro, mudar a maneira como a observamos. Lançar um novo olhar e a mágica acontece.

Esse pensamento tem grande utilidade diante de um problema, uma dificuldade que parece insolúvel. Einstein (falando em físicos...) disse ser impossível encontrar uma solução usando o mesmo modelo mental que criou o problema.

É preciso criar um novo ângulo de visão, olhar a questão com outros olhos. Aliás, esse é o papel dos consultores de empresas, ou mesmo dos psicólogos de consultório. Não só eles olham com os olhos deles, que são diferentes dos nossos, como nos ajudam a modificar o nosso próprio olhar. Fantástico. "Veja por este ângulo..." –, dizem, e o mundo começa sua metamorfose.

Pois esta mesma teoria pode ser aplicada à rotina. Aliás, será que a rotina existe mesmo? Serão todos os dias iguais, ou serão nossos olhos que não conseguem ver que o dia de hoje é totalmente diferente do de ontem? Será possível livrar a rotina da monotonia que costuma acompanhá-la? Acredito que sim. Aprendi com os físicos quânticos e com os filósofos. E também com o cobertor ambulante da rua de Curitiba.

5

bendita
frustração

A vida não nos dá tudo o que pedimos a ela. E, quer saber? É bom que não dê mesmo, pois, às vezes, não sabemos bem o que estamos pedindo.

Você já passou por uma situação em que alguma coisa que você queria muito não deu certo, e depois você chegou à conclusão que foi melhor que não tivesse dado? Tipo uma viagem com amigos que você acabou não indo porque ficou gripado e depois

um novo olhar

soube que foi a maior gelada, que choveu o tempo todo e que rolou o maior barraco no grupo? Ou aquele negócio em que você ia entrar de sócio, mas não conseguiu o capital, e que acabou falindo e deixando as pessoas em dificuldade? Ou ainda aquele amor que parecia ser para toda a vida, mas que acabou por uma briga boba, o que permitiu que você conhecesse outra pessoa, que te faz muito feliz até hoje? Eu já. Várias vezes.

O problema é que a gente só sabe que foi melhor não ter acontecido algum tempo depois que não aconteceu. Às vezes, muito tempo. Na vigência da expectativa ou logo depois, rola um sentimento de frustração, que não é o melhor do mundo. Por definição, frustração é exatamente o estado psicológico decorrente de uma expectativa não atendida, e não dá pra dizer que é agradável.

Sentir-se frustrado é o mesmo que ficar triste pela não realização de alguma coisa, e também pela perda da confiança e da esperança ao mesmo tempo. Além da sensação, também desagradável, de injustiça. Afinal, não é justo que eu não tenha conseguido algo que eu queria tanto. Que decepção. E, o pior, acho que nunca mais vou conseguir. Estou condenado à tristeza e à infelicidade. Sinto-me impotente, fraco e solitário. Ó vida!

Mas o tempo passa, outras coisas acontecem, nos reposicionamos em nosso mundo emocional e seguimos em frente. E, com frequência, chegamos à conclusão que foi bom que não aconteceu aquilo, senão, não teria acontecido isto.

A Martha Medeiros tem um ótimo texto sobre isso, ao qual ela deu um título maravilhoso: *A Melhor Coisa que Não me Aconteceu*. Ela atribui o título ao ator inglês Clive Owen, que teria dito a frase quando não foi escolhido para o papel de James Bond, depois dado a Daniel Craig. Sua versão é que se tivesse incorporado o agente secreto, teria ficado estigmatizado e perdido muitos outros papéis legais que acabou fazendo.

Martha aproveita para comentar uma sonhada viagem à Disney com a família que acabou não acontecendo, e que virou uma viagem de ônibus para a Bahia, onde ela conheceu as melhores amigas que tem até hoje. Se tivesse ido à Disney, não as teria conhecido – "foi melhor não ter ido". Só que a Martha não é ingênua. Ela sabe que isso pode parecer apenas uma desculpa para se sentir melhor. Então aproveita para comentar que essa atitude de dar um crédito positivo aos "não acontecimentos" significa ter o espírito aberto, minimizar o peso da palavra derrota e dar mais leveza à alma. O que não é o mesmo que forçar uma teoria pessoal e improvisada sobre o estado das uvas.

Esse tema tão humano, como tantos outros que povoam e assombram nossa alma, já interessou a vários estudiosos, principalmente da psicologia. Mas o primeiro a abordá-lo foi o grego Esopo, que viveu, provavelmente, em Atenas no século VI a.C. Citado em obras de Platão e Aristóteles, Esopo foi o responsável pela criação de um estilo literário chamado fábula. Trata-se de pequenas

um novo olhar

histórias, fáceis de reproduzir oralmente, e cujos personagens são, em geral, animais que falam e que têm fortes características humanas, como a dúvida, o medo, a preguiça, e também seus opostos.

Não podendo usar exemplos humanos sem ofender alguém, Esopo partiu para o reino da bicharada, e criou uma inesgotável literatura, com cunho didático e forte apelo moral. Daí terem surgidos os tipos eternos, como a cigarra e a formiga, os ratos em assembleia, o leão e a cegonha e tantos outros. Seu estilo foi seguido por muitos outros autores, como o francês La Fontaine, o inglês George Orwell e nosso Monteiro Lobato, que encantou a imaginação de tantas crianças, fazendo-as perceber o prazer e o valor de um livro, e tornando-as adultos leitores.

Entre as mais conhecidas fábulas de Esopo está *A Raposa e as Uvas*. Tendo encontrado um saboroso cacho de uvas maduras pendurado no ramo de uma videira, a raposa, com fome, tratou de alcançar o manjar. Mas, apesar de seus melhores esforços, não conseguia saltar até o cacho, o que a levou a desistir da empreitada. Enquanto se afastava, disse, para quem quisesse ouvir, mas principalmente para si mesma: "Foi melhor assim, afinal, as uvas estavam verdes".

O grego acertou em cheio. Costumamos desdenhar o que não conseguimos, como meio de nos proteger, de criar um consolo, ainda que artificial e, dessa forma, sofrer menos com a frustração. As uvas não estavam verdes, mas é melhor se convencer que estavam, e partir para outra sem olhar para trás.

A psicologia chamaria essa atitude de mecanismo de defesa, uma reação absolutamente normal, que tem o objetivo de minimizar os fatos que estão colocando em perigo a integridade do ego. Esse mecanismo de defesa em particular chama-se racionalização, através do qual a pessoa procura encontrar razões lógicas para justificar o que faz ou o que não fez. Como acontece no nível inconsciente, a pessoa, ao final, não sabe se o que ela está pensando, ou dizendo, é verdadeiro ou não passa de um ilusionismo providencial.

Olhando de relance, pode parecer que tanto faz. Se foi melhor não ter acontecido o que eu queria, ótimo, se teria sido bom que acontecesse e eu estou negando o fato, pelo menos estou reduzindo meu sofrimento.

Visto por esse ângulo, parece lógico. Mas é melhor ajustar o foco. Será que não seria melhor reconhecer que você queria muito aquilo, e que seria ótimo que tivesse acontecido, e que não aconteceu por motivos que poderiam ter sido controlados antes? Será que essa atitude que, por mais que não esconda a dor e prolongue o sofrimento, não pode ser a mola propulsora que vai projetar o futuro através do preparo e da responsabilidade?

Felizmente, a personalidade saudável elabora bem essas questões, absorve o choque e segue em frente. É impossível atravessar a vida sem experimentar frustrações, e é até bom que isso aconteça, pois esses choques

um novo olhar

psicológicos nos tornam mais fortes e desenvolvem uma condição fundamental para a vida produtiva, chamada resiliência.

Pediatras, professores e psicólogos infantis chegam a aconselhar aos pais que não satisfaçam todos os desejos de seus filhos pequenos, pois eles têm que aprender a conviver com a frustração como treinamento para lidar com os fatos da vida. Sim, a vida é frustrante. Não nos dá tudo o que pedimos a ela. E, quer saber? É bom que não dê mesmo, pois, às vezes, não sabemos bem o que estamos pedindo. Muitas vezes também desejamos algo que simplesmente não nos faria bem.

O duro é elaborar o pensamento para evitar injustiça com o fato em si, que não tem nada a ver com nossas escolhas. Insistindo no assunto: será que foi mesmo melhor que não tivesse acontecido, ou sou eu que estou tentando me convencer que foi melhor assim? Talvez essa pergunta não faça sentido, pois, afinal, estamos falando de algo do passado, que é totalmente imutável. Mas talvez seja melhor tentar responder para evitar frustrações futuras. Está disposto? É que dói um pouco, por isso pergunto.

E sei que dói por experiência própria. Pensando bem, tenho o hábito de considerar como sorte um monte de coisas que não aconteceram em minha vida, e tantas outras que deixaram de acontecer depois de um tempo. Tive muitas perdas na vida. Mas acho que considero sorte, porque depois acabei construindo uma vida que hoje me satisfaz plenamente, que faz me sentir inteiro, realizado, feliz. Não tenho porque me queixar – pondero. E olho para o passado com complacência e gratidão pelos "não acontecimentos".

Mas, e se minha vida não tivesse tomado um rumo legal? Que sentimento eu estaria nutrindo sobre tudo aquilo que não aconteceu? Como seria minha relação com o passado? Não sei. Também é difícil ponderar sobre o que não aconteceu, quando o que aconteceu foi tão bom assim.

Confesso que comecei a escrever este texto com a intenção de explorar apenas o que ele propõe na abertura: que foi bom que não tenha acontecido o que não aconteceu. Entretanto, enquanto escrevia, meu pensamento foi desviando um pouquinho, principalmente depois que lembrei do Esopo, do Freud, da Martha. Agora acho que foi melhor que não tivesse escrito exatamente como tinha pensado no início, só enaltecendo os "não acontecimentos" para diminuir possíveis frustrações do leitor. Meu texto inicial foi um "não texto", veja só você.

E aproveito para propor uma releitura da historinha da raposa e suas uvas. Que tal criar uma versão em que a raposa, após saltar repetidas vezes sem sucesso, desiste, por hora? E, ao se afastar, pensa: "Já sei, vou voltar para a academia e caprichar nos exercícios pliométricos para as pernas. Assim vou conseguir saltar mais alto, e da próxima vez essas uvas maduras não me escapam".

Quem sabe você, dessa maneira, possa pensar sobre a melhor coisa que não lhe aconteceu... ainda.

6

detalhes

As gentilezas são os detalhes do relacionamento cotidiano. Se não existirem, até dá para viver, talvez sua ausência não seja notada. Mas sua presença, acredite, faz toda a diferença. Eis o mais poderoso antídoto à monotonia e o mais sublime poema da vida cotidiana: o detalhe.

Duas cenas:

Primeira. Você entra em uma sala de trabalho procurando as chaves do carro. Olha para a mesa onde estão um computador, uma impressora, uma pilha de papéis, um livro, dois cadernos de capa preta, algumas canetas, um grampeador, umas folhas soltas, um vaso de cristal com uma rosa vermelha e as chaves do carro. Imediatamente você vê as chaves que estava procurando, pega com a mão apressada e sai do escritório em direção a seu próximo compromisso.

Segunda. Você entra em uma sala de trabalho sem procurar nada em especial, nem as chaves. Olha para a mesa onde estão um computador, uma impressora, uma pilha de papéis, um livro, dois cadernos de capa preta, algumas canetas, um grampeador, umas folhas soltas, um vaso de cristal com uma rosa vermelha e as chaves do carro. O que você vê? Talvez você não se dê conta, mas seus olhos vão pousar sobre o vaso com a flor vermelha. E isso acontece porque ela é o toque diferente, o elemento que destoa do conjunto, o belo, o detalhe. O detalhe que faz toda a diferença.

O olhar humano é capaz de varrer rapidamente uma cena com relativa complexidade e ver todos os elementos, mas isso não significa que estes serão percebidos, muito menos registrados. Antes, o cérebro tem que processar os componentes daquele espaço e, para isso, precisa de ajuda, e quem vem em socorro são dois facilitadores da percepção: o significado ou o detalhe.

Na primeira cena, o que valeu foi o significado. As chaves significavam muito naquele momento. Você as estava procurando e já tinha criado uma imagem mental, um clone virtual do objeto desejado. Ao ver as chaves no mundo real, criou-se uma conexão imediata com a imagem mental e o ato se realizou. Ver o que se está procurando é fácil, faz parte do protocolo. Se você não estivesse procurando as chaves provavelmente não iria vê-las ao lançar um olhar apressado sobre a mesa. Ela faria parte da paisagem. Seria mimética, por ser cinza em uma superfície cinzenta. Mas, como as estava procurando, as percebeu rapidamente.

Na segunda cena não havia interesse por um objeto em particular, por isso, o que valeu foi o contraponto, o detalhe, o diferente. Se, depois, alguém lhe perguntasse como era a mesa daquele escritório em que você entrou inadvertidamente, você diria algo como: "Não lembro bem, era comum, mas tinha uma flor vermelha num canto". Sim, nosso cérebro processa primeiro o que é diferente. A flor é diferente do resto. Os demais objetos são *Wallys* na multidão. Percebemos o detalhe e lembramos dele.

Este é apenas um exemplo do poder do detalhe na análise que fazemos do mundo ao nosso redor, incluindo o comportamento das pessoas com quem convivemos. Em geral as pessoas são lembradas pelos pequenos atos, e não pelos grandes, pelo simples fato de que realizamos poucos grandes e muitos pequenos atos em nosso cotidiano. Claro, algo grande, como um ato de heroísmo, uma grande ideia ou um trabalho excepcional, irão marcar e criar memória. Mas, no dia a dia das relações, vamos construindo nossa imagem, que ficará impressa na retina e na mente das pessoas, a partir de nossos pequenos comportamentos. Para o bem ou para o mal.

Em geral, o detalhe se manifesta onde não o esperávamos. Lembro de um episódio marcante durante os trabalhos de adequação do apartamento que havíamos comprado na planta e que finalmente ficara pronto. Era o apartamento dos sonhos. Por isso chamamos o João Rigo, decorador que já conhecíamos, que tinha reformado nossa morada anterior, e que se tornara um grande amigo. O João é genial.

Entre plantas, operários, visitas a lojas, escolhas, orçamentos apertados, se passaram seis meses antes que o apartamento ficasse habitável e pudéssemos, finalmente, ocupá-lo. A quantidade de detalhes era assustadora. Lembro de uma ocasião especial. Reparei que o João dava uma importância capital ao lavabo, o banheiro das visitas, um dos cômodos menos utilizados da casa, ainda que tenhamos muitos amigos. As cerâmicas, os metais, a cor das paredes, o tamanho do espelho, a colocação do toalheiro, do papel higiênico, do sabonete. Tudo passava pelo escrutínio de nosso arquiteto de interiores.

Quando um pingo de tinta foi encontrado sobre a cerâmica do chão, o pintor foi imediatamente chamado às falas. Foi quando lhe perguntei porque tamanha preocupação com tal banheiro de uso esporádico. Não seria este um espaço secundário? Não deveríamos estar gastando mais energia com a decoração da sala, por exemplo? Sua resposta foi tão esclarecedora, quanto devastadora.

— Pense um pouco – explicou ele – você recebe uma visita para o jantar. De repente seu convidado pede para ir ao banheiro e você lhe indica a porta do lavabo. Ele entra, fecha a porta, fica sozinho e faz o que, além de usar as instalações? Fica reparando nos detalhes...

Reparando nos detalhes... Não mais esqueci tal lição. Por estar em um breve momento de reclusão em um pequeno espaço, a pessoa realmente se dedica a observar e, fatalmente, vai reparar na qualidade do sabonete, na existência ou não de algum mimo, como um hidratante para as mãos, um enfeite ocasional, uma flor natural em vez de uma de plástico inodoro. E o João ainda me deu um golpe fatal. Para fechar o assunto, disse:

— Eugenio, tua reputação depende do lavabo – e virou-se para os operários brandindo ordens explícitas, a maioria referente a pequenos detalhes da obra.

Claro, João tem na observação dos detalhes seu ofício. É o tipo da pessoa que tem um olho clínico para os detalhes. Mas, mesmo sem saber, todos somos assim, em maior ou menor medida. Depois do episódio do lavabo, acho que comecei eu mesmo a prestar mais atenção aos detalhes dos banheiros dos restaurantes, à decoração dos quartos de hotéis, à organização dos escritórios e salas de reunião, e até à limpeza dos táxis. Quando percebemos seu valor, começamos a ficar exigentes com os detalhes.

O mesmo se dá com o comportamento das pessoas. Minha amiga Priscila, de repente, se percebeu apaixonada. Quando nos encontramos e ela me contava sobre seu namorado, com o qual tinha acabado de almoçar, o som de seu smartphone anunciou uma mensagem. Ela pegou o aparelho na bolsa, e seu rosto se iluminou mais ainda enquanto ela lia o texto. Era do namorado, dizendo o quanto fora agradável ter almoçado com ela, e afirmando que sua tarde seria muito melhor por causa disso.

— Como não estar apaixonada? – disse ela com um sorriso de menina.

O detalhe do recadinho por WhatsApp teve um efeito maior do que o próprio almoço. O detalhe seduz, surpreende, alegra, faz sorrir. O detalhe é o quadro colorido na parede branca, é a rosa branca no buquê vermelho, o bilhete que o acompanha. É a frase alegre no discurso sério, é o Leminski dizendo "Isso de querer ser exatamente aquilo que a gente é ainda vai nos levar além" no meio de uma discussão chata sobre o existencialismo sartreano.

Aliás, é na boa literatura que nos fartamos de detalhes encantadores. Lendo um conto de Machado, no momento em que o personagem olha para o mar, o escritor assim relata: "Ao passar pela Glória, Camilo olha para o mar e estende os olhos para fora até onde a água e o céu se dão um abraço infinito...".

Vamos concordar. Olhar o horizonte no mar é uma coisa. Reparar no ponto onde o céu e o mar se dão um abraço infinito é outra coisa. Dá vontade de estar lá. Aliás, estamos lá. Um conto do Machado de Assis nos coloca na cena, somos protagonistas de suas histórias, sentimos a respiração dos personagens. Por causa dos detalhes da descrição.

Preocupar-se com os detalhes não é ser petulante, nem querer ser diferente. É manifestar respeito por tudo aquilo que parece invisível aos olhos e às almas menos sensíveis. Quando o Roberto escreveu que "Detalhes tão pequenos de nós dois são coisas muito grandes pra esquecer", ele não estava apenas fazendo a apologia de um romance, mas chamando atenção para o singular, o fato que faz a diferença, o não *default*, o inimigo do lugar comum. Um namoro que não cultiva detalhes é só uma amizade. Um romance sem "nossa música", sem "aquele lugar", sem uma flor seca guardada como marcador de livro não passa de uma relação ocasional, sem sabor, sem futuro, sem detalhes.

A Lu, especialista em detalhes, alimenta nossa relação com pequenos mimos. Sim, as gentilezas são os detalhes do relacionamento cotidiano. Se não existirem, até dá para viver, talvez sua ausência não seja notada. Mas sua presença, acredite, faz toda a diferença. Quando me traz um copo de leite enquanto trabalho, ou quando escreve I LOVE YOU em suas pálpebras, me olha firme, e fecha os olhos para que possa ler tal mensagem inusitada, ela está lançando mão do mais poderoso antídoto à monotonia e declamando o mais sublime poema da vida cotidiana: o detalhe.

7

as sobremesas

"A vida seria muito chata sem sobremesa".
Verdade. Imagine fazer só o básico, sem
os pequenos supérfluos tão importantes
para nossa alegria.

Participo muito de eventos corporativos, que acontecem principalmente em hotéis, o que me transformou em profundo conhecedor dos chamados buffets, aquele tipo de almoço em que você mesmo se serve. O bom desse tipo de refeição é que é rápida, pois a comida já está servida quando você chega, e você tem a liberdade de escolher o que quiser, montando seu próprio prato.

Claro, já almocei em buffets espetaculares e outros bem básicos. Varia bastante a diversidade de escolhas e, principalmente, a qualidade, mas todos eles têm em comum a estrutura. O que estou querendo dizer é que um buffet é, tradicionalmente, dividido em três secções: a das saladas, a dos pratos quentes e a das sobremesas.

Em um workshop que participei, um pouco antes do almoço, falávamos sobre os fatores motivacionais nas empresas. O que, afinal, motiva as pessoas a trabalharem com empenho, foco e comprometimento? Tentando simplificar, expliquei minha teoria:

— Em qualquer lugar e a qualquer momento, as pessoas são motivadas por duas grandes forças: suas necessidades e seus desejos. As necessidades visam evitar sofrimento, e os desejos têm como objetivo a obtenção do prazer. Assim somos. Queremos evitar sofrimentos e ter prazer na vida.

Eu estava, claro, tentando fazer uma conexão com o mundo do trabalho. Quem trabalha só pela necessidade do salário está apenas parcialmente motivado. É necessário que tenhamos prazer em fazer o que fazemos, e o prazer no trabalho vem da percepção de seu significado, do orgulho que ele nos causa e do bom ambiente humano no local onde trabalhamos. Antes que eu alongasse minha explicação, um dos participantes me interrompeu, meio aflito:

— Eugenio, por falar em necessidades, preciso te dizer que estou morrendo de fome.

— Boa lembrança – respondi – então vamos almoçar, mas, antes, quero fazer uma observação. Almoçar é uma necessidade, pois se não comermos vamos passar fome e sentir indisposição. Certo? Então, estamos todos motivados para almoçar. Confere?

Todos concordaram com a observação, já se mexendo nas cadeiras, fechando suas pastas e animando-se com a interrupção. Mas eu continuei:

— Então vamos fazer assim: fisiologicamente, nós temos necessidade de comer a salada, pois ela nos dá vitaminas, sais minerais e ajuda a digestão com suas fibras. Também precisamos no prato quente, que nos fornece proteínas, carboidratos e gordura. Tudo na dose certa. Concordam?

— Concordamos – falou meio impaciente o mais afoito, ou mais faminto, de meus alunos – então vamos logo, professor.

— Calma, deixa eu terminar o raciocínio – torturei – Acontece que tem um terceiro balcão lá no restaurante. Nele há coisas que o corpo de vocês absolutamente não precisa. Estou falando do pudim de leite, da cocada mole, do quindim, do mousse de maracujá...

— Como é que é? Você está dizendo que a gente não precisa da sobremesa? Pois eu adoro doce. Chego a escolher o restaurante pela qualidade da sobremesa. Eu simplesmente pre-ci-so dela – argumentou uma executiva do grupo.

— Aí é que está, querida – disse eu – você, na

verdade não precisa da sobremesa, seu corpo já está adequadamente nutrido, mas você vai comer assim mesmo. E sabe por quê? Simplesmente porque você quer! Não porque você precisa. Porque a sobremesa dá prazer, e o prazer nos estimula, nos dá alegria de viver. Só não exagere...

— É mesmo, professor. Pode ser que meu corpo não precise do doce, mas que é gostoso é – completou ela, e ainda arrematou o pensamento – a vida seria muito chata sem sobremesa.

Marquei esta frase para sempre. "A vida seria muito chata sem sobremesa". Verdade. Imagine fazer só o básico, sem os pequenos supérfluos tão importantes para nossa alegria.

Para que, afinal, serve a flor no vaso da sala? Para que os quadros na parede? Qual a utilidade da decoração da mesa no jantar de Natal, a almofada no sofá, o candelabro com a vela aromática, a gravata alegre completando o terno azul? Para que o colar no colo da mulher amada? Para que música, poesia, moda, arte, arquitetura, paisagismo?

São todos "sobremesas". Sem essas coisas todas poderíamos continuar levantando para trabalhar, comendo na hora das refeições, abrigando-nos da chuva, descansando o corpo em uma cama. Poderíamos viver sem esses adendos da vida. Mas que seria chato, seria, não é mesmo? Acho que não estaríamos vivendo de verdade, apenas sobrevivendo. Imagine uma vida totalmente básica, em que apenas as necessidades essenciais são atendidas, sem espaço para o "algo mais".

Alguém disse, por exemplo, que o futebol não é importante, mas que, entre as coisas não importantes, é a mais importante de todas. Pensando bem, a vida de um torcedor não vai mudar porque seu time perdeu, mas ele gostaria muito de tê-lo visto campeão. A segunda-feira fica bem mais divertida.

Precisamos, sim, dessas coisas não importantes que, ao final, compõem a sinfonia de nosso cotidiano, que não pode ser composta apenas de movimentos básicos. Também precisa dos dançantes, dos minuetos e dos *scherzi*, para dar alegria e leveza antes de chegar ao movimento final, conclusivo, épico. Nem nossos ouvidos dispensam a sobremesa.

Procura-se uma Rosa é um filme de 1964, estrelado por Leonardo Vilar e Tereza Rachel. Conta a história de um casal de suburbanos do Rio de Janeiro. Ansioso por dar presentes para sua mulher, e com o dinheiro curtíssimo, o sujeito acaba se metendo em confusões ao se aproximar de bandidos, o que faz com que sua amada, a Rosa, se afaste dele e desapareça. O drama é grande, pois, entre outras coisas, ele acaba sendo acusado de tê-la matado. O final, entretanto, recupera a verdade e o amor entre eles.

Em uma cena, ela o questiona sobre os presentes que ele lhe dá, perguntando para que tudo aquilo. Ele, então, diz algo como: "Para que presentes? Então podemos perguntar também para que flores, para que passarinhos, para que filhos. Precisamos disso para dar alegria às nossas vidas e eu, para minha amada, quero tudo o que há de melhor no mundo".

Mesmo assim ela o abandona, pois não concorda com sua conduta. Trata-se de um dilema moral. A trama joga com a ideia de que tudo tem limite, que não podemos extrapolar nossas possibilidades, que não vale a pena abrir mão dos valores para suprir os desejos. Verdade.

Mas também nos deixa refletindo sobre o papel fundamental de tudo o que enfeita nossa vida. O básico é essencial. O resto é básico. A vida, sem sobremesas, definitivamente, seria muito chata. Só convém não exagerar...

8

abandono

Ideias tolas merecem mesmo ser abandonadas e consumidas pelas traças da indiferença. Mas só elas.

O almirante Chester Nimitz foi o comandante-chefe da marinha americana durante a II Guerra Mundial, e teve a responsabilidade de avançar para o oeste, em direção às batalhas do Pacífico. Como sabemos, os aliados ganharam a guerra.

Anos depois, em 1975, foi lançado ao mar o maior porta-aviões já construído até então. Movido a propulsão atômica, era imponente com seus 333 metros de

um novo olhar

comprimento, capaz de acomodar 90 aviões de diferentes tipos em seus porões, e lançá-los ao ar em minutos. Recebeu o nome de Nimitz, em justa homenagem.

Em 1980 eu comprei meu primeiro barquinho e, em um momento de autoestima exagerada, batizei-o de *Nimitz* também. Meu *Nimitz* era um barco de madeira, com duas velas, cerca de seis metros de comprimento e dois de largura. Precisava de dois velejadores e podia levar mais uns dois ou três passageiros. Ficava guardado no Iate Clube de Florianópolis, e eu costumava dar a volta à ilha de Santa Catarina com ele. Me diverti muito com meu *Nimitz*.

Só que, ao contrário do porta-aviões americano, que ainda navega pelos mares, sempre disponível para se aproximar das regiões de tensão no mundo que, infelizmente, não são poucas, o meu *Nimitz* parou de navegar. Ele era de madeira forte, bem tratada, o estaleiro que o construiu era competente, seu design era impecável. O que aconteceu, então? É que, com o tempo, ele foi decaindo, surgiram frestas, descascou, começou a ranger, até que foi abandonado na garagem de uma casa de praia pouco usada de um amigo no sul da ilha. Mas, por quê?

A resposta é simples, mas eu só a elaborei anos depois. O barco não foi abandonado porque começou a ficar ruim. Ele ficou ruim porque foi abandonado. E foi abandonado porque, com o tempo, fui perdendo o interesse pela vela. A carreira profissional começou a exigir muito e minhas idas a Florianópolis começaram a ficar mais esparsas. Além disso, eu me apaixonei pelo tênis, esporte mais fácil de praticar. Bastava ir até o clube, ali perto, e pronto.

Hoje, quando me lembro do meu *Nimitz*, surge em meu peito um sentimento duplo, ambíguo. Por um lado, penso nos momentos fantásticos que tive com ele. Minha memória é invadida pelas imagens de meus amigos, a alegria de meu filho pequeno, as manhãs ensolaradas, a força do vento e o carinho da brisa. E, por outro lado, vem um sentimento de culpa, um aperto no peito, como se eu tivesse abandonado um amigo. Isso não se faz, penso...

Acho que é perfeitamente normal mudarmos nossos centros de interesse. Aliás, é até bom, pois precisamos aumentar nossa visão do mundo, conhecer coisas novas, expandir nossos alcances. Eu mesmo já mudei muitos hábitos, práticas, interesses. A vida é assim. Coisas velhas vão ficando para trás, não podemos carregar tudo pela vida, precisamos seguir mais leves.

Pensando bem, é natural e até conveniente que deixemos coisas pelo caminho. O mal não está no avanço, na mudança de interesses, na evolução natural das coisas. O mal está no descaso, na falta de cuidado, no desleixo. No abandono, em síntese.

Para mim, *Nimitz* é simbólico. Pela importância que teve naquela fase da minha vida, ele merecia um destino mais nobre, penso hoje. Eu poderia tê-lo vendido para alguém que continuasse a usá-lo, cuidando de seus velhos costados. Ou poderia tê-lo doado a uma escola

um novo olhar

de náutica, onde ele serviria para que garotos e garotas aprendessem a respeitar o mar e a se apaixonar pela vela.

Mas não foi o que eu fiz. Minha atenção foi requisitada por outras coisas, eu fui deixando o barco de lado, e ele, abandonado, se deteriorou com o tempo. Pobre... Eu sei, coisas não têm sentimentos, não sofrem pelo abandono, mas a memória do barco não pertence a ele, pertence a mim, uma pessoa que, sim, tem sentimentos e remorsos.

Nem sempre os abandonos são ruins, claro. Ideias, por exemplo, precisam ser abandonadas, principalmente quando são "nada a ver", quando têm erros conceituais, medos infundados, preconceitos burros. Ideias tolas merecem mesmo ser abandonadas e consumidas pelas traças da indiferença. Mas só elas.

Meu *Nimitz* virou o símbolo de uma atitude que se deve evitar. O abandono. Pense nas amizades que você abandonou e desapareceram pela falta de uso, de convivência, de cuidado. Lembre de roupas, sapatos e livros abandonados no fundo de armários ou prateleiras empoeiradas, e que poderiam estar servindo a outras pessoas. Lembre de sonhos abandonados, de projetos fechados no arquivo morto da memória porque simplesmente paramos de investir neles.

Há casais que, dominados pela rotina e pelo tédio, abandonam o próprio casamento que, exigente, suporta tudo, menos abandono. Não dá para abandonar o casamento, nem os amigos, nem a saúde, o corpo, a carreira, o estudo. Senão começam a ranger, descascar e fazer água. Há vários *Nimitz* em nossa vida, que poderiam ter sido mais bem cuidados, mantidos, quem sabe reciclados, doados, feito úteis, participando da vida de alguém e não apenas de nossa memória.

A troca de interesses que gera movimento, evolução, é natural e saudável. Já o simples desinteresse que origina o abandono, tem um lado triste, melancólico, quando não cruel, como o de gente que nas férias abandona seu cachorro porque o interesse agora é outro.

Vamos em frente. Troquemos de emprego, de estilo, de amigos, de cidade, de ideias, de namorados, de carro, de casa. Evoluir é preciso. A mudança pela evolução faz bem, muito bem. Não me arrependo das trocas que fiz, provocadas pela melhoria, mas sofro pelos abandonos que pratiquei, filhotes do mero descaso.

9

glória do cotidiano

Estar em fluxo é criar uma conexão com a atividade tão intensa, que o resultado é a perfeição possível. Esta seria a diferença entre um artesão e um artista.

Campo de Ouriques é um bairro muito simpático de Lisboa. Residencial, calmo, seguro, tem também bom comércio, vida cultural e um mercado, onde se pode comprar peixes, frutas, verduras, pães; e também almoçar em uma espécie de praça de alimentação democrática, acessível, que respeita com rigor a verdadeira gastronomia portuguesa, aquela de comer ajoelhado. Este é um lugar que eu indico, pois faz parte da vida da cidade, frequentado pelos habitantes. Não se trata de um "sitio turístico", como dizem os lisboetas.

Conheci o bairro atraído pela Casa Fernando Pessoa, que lá está. É um espaço cultural com biblioteca, auditório, sala de exposições, além de um pequeno museu dos pertences do poeta, incluindo seus chapéus, óculos, máquina de escrever e a cama onde dormiu nos últimos quinze anos de sua vida, quando lá morou, entre 1920 e 1935.

"A casa Fernando Pessoa é um espaço aberto a todos quantos aí queiram visitar, ouvir, ler, criar e, mais que tudo, sentir", diz a principal referência ao lugar. Eu fui lá, visitei, ouvi, li, senti e acabei criando este texto.

Certamente o maior poeta português do século XX só não é apontado como "o maior de todos os tempos", em respeito a tantos outros, principalmente a Luís de Camões. Ainda que o próprio Fernando tenha escrito, muito jovem, na revista *A Águia*, um texto em que ele intuía o aparecimento de um poeta ainda maior, um supra-Camões. Não, ele não estava falando dele mesmo, ou talvez estivesse, sem saber. Aquele texto lhe valeu uma torrente de críticas, afinal, quem poderia ser maior que Camões?

Curiosamente, Pessoa não se definia como poeta. Como havia vivido sua infância na África do Sul e falava inglês fluente, dedicou-se a ser tradutor, ou como ele gostava de definir, "correspondente estrangeiro em casas comerciais". A poesia, para ele, não era profissão, era vocação.

Pois foi na visita à casa de Fernando Pessoa que eu li, talvez pela milésima vez, um poema que está entre meus preferidos, cujo título já é, em si, um poema: *Põe Quanto És no Mínimo que Fazes*. Às vezes, fico pensando porque esse poema de três versos rápidos me toca tanto. Em geral ele fala comigo quando me flagro fazendo algo pela metade, sem empenho verdadeiro. Nesses momentos costumo pensar se vale a pena continuar fazendo.

Quando ele diz "Para ser grande, sê inteiro", eu me sinto pequeno, e quando ele segue dizendo "Nada teu exagera ou exclui", eu percebo que muitas vezes dedico apenas parte de mim a uma atividade, um trabalho, uma relação. E então critico minha conduta deplorável. Em geral consigo mudar minha atitude. Caso não consiga, trato de mudar a atividade.

Há tempos tenho observado que, não importa qual é a atividade, qual é o trabalho, algumas pessoas se colocam inteiras na tarefa, concentram-se, focam, dão o melhor de si e atingem resultados excepcionais. Já outras, parecem estar pela metade, meio lá meio cá, e dão a impressão que mal acabaram de chegar e já estão indo embora. Você já viu alguém assim?

Depois de visitar a Casa Fernando Pessoa, almocei no mercado de Ouriques e me detive a observar comportamentos. Havia um rapaz que cortava carne. Você pode imaginar trabalho mais banal que o de um açougueiro? Pois aquele não era um açougueiro comum. Aquela parecia ser sua profissão e também sua vocação. A maneira como ele segurava a peça a ser cortada, como ele descia a faca afiada sobre o produto, os movimentos de seus braços, a atenção do seu olhar, o sorriso ao entregar o filé para a cliente, que pagava também sorrindo e lhe agradecia, ao que ele respondia simplesmente "Pois, pois, freguesa!".

Aquele açougueiro lisboeta estava inteiro. Já seu colega, que compartilhava o exíguo espaço atrás do balcão, estava ali pela metade. A consequência evidente é que o trabalho do primeiro era muito melhor que o do segundo. Isso todos os fregueses percebiam. O que eu notei, porque estava interessado em ver algo mais naquela cena cotidiana, é que o que estava inteiro era, certamente, muito mais feliz que o outro.

O psicólogo tcheco radicado nos Estados Unidos Mihaly Csikszentmihalyi também observou isso, mas de maneira estruturada, acadêmica. Na busca por entender porque há pessoas que encontram felicidade no que fazem, enquanto outras jamais descobrem o que é isso, ele primeiro analisou o comportamento de grandes artistas, músicos, atletas, e se deu conta que estes eram os que conseguiam um tal estado de atenção e inteireza que os levava a entrar temporariamente em um estado de suspensão do tempo e do espaço.

A este estado excepcional de inteireza, cujos resultados são, principalmente, a qualidade do trabalho e a felicidade de quem o realiza, Mihaly chamou de "estado de fluxo" (veja no TED). Estar em fluxo é criar uma conexão com a atividade tão intensa que o resultado é a perfeição possível. Esta seria a diferença entre um artesão e um artista.

Da investigação com artistas ele foi observar executivos de empresas, funcionários operacionais, profissionais de todos os tipos, além de donas de casa, estudantes, pessoas em atividades corriqueiras. O que o psicólogo tcheco constatou já havia sido descrito pelo poeta português. Há pessoas que se colocam inteiras porque veem sentido no que fazem, sentem que estão contribuindo com o mundo e sentem prazer em fazer bem feito, não importa o quê.

O oposto do estado de *flow* seria a apatia. O fazer por fazer, sem encontrar prazer, sem ver o sentido, sem obter um *feedback* positivo de si mesmo e, como consequência, dos demais. Muito se fala que quando trabalhamos em algo que amamos, não sentimos que estamos trabalhando, não vemos o tempo passar. A grande contribuição do Dr. Csikszentmihalyi foi a de trazer o assunto para o nível da razão. Assim, se você não faz exatamente o que gosta, trate de gostar do que faz, como uma decisão consciente. O resultado será mais qualidade e muito mais felicidade. Uma espécie de "glória do cotidiano". Afinal, como segue Pessoa em seu poema, "Em cada lago a lua toda brilha, porque alta vive!".

10

o bom e o belo

Então é assim. Não se argumenta com a
necessidade, ela existe e pronto. Tem vida
própria. Necessidade não se explica. Se
sente e se atende.

Fui visitar a Casa Cor deste ano logo na
abertura, pois tenho especial atração por
arquitetura e decoração. Penso até que se tivesse escolhido outra carreira, seria a de arquiteto. Pena que minha
sensibilidade não é acompanhada pela destreza para o
desenho. Visitando aqueles belos espaços fui me dando
conta de que a atenção dos designers de interiores está,
sim, voltada para decoração, no sentido estético, mas

também para o conforto e a funcionalidade. A visão desses profissionais é mais abrangente do que possa parecer num primeiro momento. E sua importância também.

O equilíbrio entre a forma e a função é algo que me fascina, pois esse balanceamento tem o poder de tornar a vida muito melhor, mas prática, confortável e divertida. Mas, é mais comum que, ou se olhe um lado ou o outro, separadamente. E isso, infelizmente, é frequente, e vale para qualquer lugar, em qualquer situação.

Estou aqui falando de arquitetura de interiores, mas este é um tema muito mais abrangente. Um cirurgião plástico, por exemplo, é procurado para resolver questões estéticas, em geral desarmonias entre partes do corpo, como um nariz muito grande para aquele rosto, ou seios muito pequenos para aquele corpo. Entretanto, os cirurgiões plásticos são enfáticos em afirmar que eles não se preocupam apenas com a beleza de um nariz, e sim também com sua fisiologia. O resultado de seu trabalho tem que dar harmonia ao rosto mas também tem que preservar, e até melhorar, a boa respiração. Trata-se de um conjunto. Ponto para eles.

Steve Jobs é um ótimo exemplo quando o tema é beleza e funcionalidade. Ele foi afastado pelo conselho administrativo da empresa que ele mesmo havia criado por ser considerado "sonhador demais", e passou alguns anos fazendo outras coisas, entre elas, produzindo desenhos animados de grande sucesso, como o *Toy Story*. Entretanto, com a empresa fazendo água por falta de inovações, Jobs foi chamado de volta. E o que ele fez? Tratou de introduzir o conceito que recuperou a empresa e mudou o mundo: o design funcional. Para ele, design não era apenas estética. Era funcionalidade. Eis a razão do sucesso de seus aparelhinhos.

Na prática, o que o visionário Jobs fez, foi inverter a ordem das criações. Antes os engenheiros desenvolviam um equipamento eletrônico e o entregavam aos designers, que tratavam de colocar tal engenhoca dentro de uma "caixa" para que então virasse um produto. Sua revolução foi fazer o inverso. Os designers passaram a criar produtos belos e funcionais, e cabia aos engenheiros colocar a eletrônica em seu interior. Deu tão certo que muitas outras empresas, não apenas no campo da microeletrônica, começaram a seguir essa filosofia.

Abusando nas comparações, assim como Jobs foi um inovador nos aparelhos eletrônicos, William Shakespeare foi um inovador nas palavras. O bardo inglês tinha coisas a dizer, e queria que as pessoas o entendessem, mas também que se encantassem, que se divertissem. Que suas mensagens fossem, ao mesmo tempo, consistentes e belas, verdadeiras e agradáveis.

As 37 peças e o grande número de sonetos de Shakespeare são dedicados a interpretar a essência do ser humano, mas também são exemplos de estilo, de estética, de beleza linguística. No imenso vocabulário empregado por ele, contam-se cerca de 17 mil palavras que não eram comuns no vocabulário britânico da

um novo olhar

época e, destas, cerca de 1.700 foram de sua própria criação. Quando não encontrava a palavra certa ele simplesmente a inventava, e tais palavras hoje integram o cotidiano da língua inglesa.

Graças a essa combinação extraordinária, ele conseguiu traduzir o íntimo das pessoas, com suas paixões, desejos, medos, angústias, coragens e contradições, de tal forma que seus pensamentos são, com frequência, citados em teses acadêmicas, abertura de capítulos de livros, prefácios, discursos.

Este articulista também abusa do estoque de frases do famoso inglês que viveu no século XVII. Então aqui vai mais uma: no ato 2, cena 4 de *Rei Lear*, Shakespeare afirma o seguinte: "Não argumente com a necessidade. Mesmo os mais pobres mendigos têm, dentro de suas humílimas posses, algo supérfluo. Proíba-se a Natureza de ter mais que a Natureza, e a vida de um homem se igualará à de um bicho".

Então é assim. Não se argumenta com a necessidade, ela existe e pronto. Tem vida própria, aparece quando quer e só vai embora quando saciada ou substituída por outra. Necessidade não se explica. Se sente e se atende. E nossas necessidades vão além do básico. Nossa casa, por exemplo, é nosso espaço de proteção, mas não só da chuva, também da monotonia e da feiura. Não queremos uma casa só para morar, mas também para viver. Um lugar onde estamos seguros e onde somos felizes. Minha casa tem que ser boa, mas que também seja bela, pensamos.

O supérfluo, na visão do bardo inglês que nasceu em Stratford-upon-Avon, no dia 23 de abril de 1564 e morreu no mesmo dia 52 anos depois, é uma necessidade. Sem ele não vivemos, apenas sobrevivemos. Por isso precisamos de arte, poesia, música, arquitetura, moda. "A gente não quer só comida" – disseram os Titãs. "A gente quer comida, diversão e arte".

A questão é: já que temos que fazer tanta coisa, como trabalhar, morar, locomover-nos, estudar, comprar produtos, frequentar locais, ir a supermercados, andar pela rua, por que não fazer tudo isso com um pouco mais de estilo? Por que temos que trabalhar em lugares feios, com paredes vazias, móveis protocolares, iluminação precária? Por que somos obrigados a andar por ruas que ostentam fios aparentes, paredes pichadas e calçadas irregulares? Uma cidade civilizada é prática, segura e bonita. E isto vale para as lojas, as empresas, as escolas e os lares.

Bem antes da Casa Cor, de Jobs, de Shakespeare e de todos nós, viveu, na Grécia dos filósofos, um jovem que seguia Sócrates em suas pregações peripatéticas pela cidade de Atenas. Seu nome era Platão. Desejoso de continuar a obra de seu mestre, Platão dedicou-se a criar uma escola, que recebeu o nome de Academia, onde se ensinava filosofia, matemática e se incentivava a atividade física.

A obra de Platão é de um valor incalculável, não só pelas mensagens explícitas, mas pelo poder incrível

um novo olhar

de influenciar outros pensadores, o que tem acontecido, ainda que seja imperceptível, na construção da civilização ocidental nos últimos 26 séculos. Pois foi Platão que colocou este assunto em pauta, quando afirmou que, se olharmos de perto, o bom e o belo são a mesma coisa. Ou, pelo menos, que um tende a se transformar no outro, quando forem, definitivamente, verdadeiros.

11

otimismo

Ser otimista é confiar em sua própria capacidade de avançar apesar das forças em contrário. A luta é obrigatória. O otimismo é opcional, e é uma bela opção.

À s vezes, lembro-me do Truman Capote que, certa vez, contou que antes, pela manhã, lia o jornal e tomava café e vivia angustiado. Até que um dia passou a ler um salmo bíblico e a tomar uma taça de champanhe, e seus dias passaram a ser gloriosos.

É que eu ainda tenho o (mau?) hábito de ler o jornal logo pela manhã, enquanto tomo café. Justifico dizendo que preciso estar bem informado, o que inclui ler as interpretações dos fatos, principalmente os econômicos e políticos, feitas pelos colunistas, em geral analistas experientes do cenário nacional e mundial. Faz sentido. Precisamos saber o que acontece para tomarmos posições e decisões. Só tem um problema: a carga imensa de más notícias que os jornais costumam despejar sobre a mesa em que está o café com leite, o pão, a geleia e o suco, e que pode estragar nosso desjejum.

As manchetes do dia em que escrevia este texto, por exemplo, eram sobre a inflação chegando a 9%, o PIB diminuindo 1,1%, a possível quebra da Previdência Social, o drama dos imigrantes na Europa, o avanço dos radicais islâmicos, os casos de intolerância, a sensação de insegurança nas ruas, o aumento do desemprego... Como começar um dia alegre e positivo com tal inspiração? Será possível manter o otimismo e a esperança na humanidade se nove a cada dez notícias denunciam o ser humano como trapaceiro, violento e desonesto?

Pois este é exatamente o exercício a que todos nos submetemos quando viramos adultos. Reconhecer o lado negro da força das sociedades, especialmente as que ainda estão em processo de desenvolvimento, como a nossa. Conviver com essa constatação sem esmorecer, e encontrar meios para continuar vivendo sem abrir mão de seus valores e da esperança. Isto faz parte da estrutura saudável da personalidade adulta.

Em síntese, estamos falando aqui de duas coisas: primeiro, da não negação da realidade quando ela é cruel; segundo, da capacidade de avançar apesar de tudo, o que inclui encontrar nas crises e adversidades, um lado positivo. Não é fácil, eu sei, mas é necessário tentar. A maneira como as pessoas reagem a notícias ruins e a perspectivas sombrias diz muito sobre elas. Há os negativos contumazes, os otimistas exagerados, os alienados por opção, os indiferentes, os inconformados, os realistas, os que se queixam do vento, os que ajustam as velas. Você conhece os tipos.

Um amigo meu responde que "vai vivendo", quando pergunto "como vai?". Esse é o tipo de resposta que mostra um certo desencanto, uma postura negativa, a falta de perspectiva. "Ir vivendo" é a negação do "viver de verdade". É o mesmo que dizer que está vivo por falta de alternativa. Se pudesse, não estaria. Outro responde à mesma pergunta com um otimismo teatral, que inclui um sorriso de propaganda de pasta de dente e, às vezes, um abraço constrangedor. Nessas horas clamo por um pouco de equilíbrio. Nem lá, nem cá, por favor!

Que tal reconhecer que há dificuldades reais, situações que testam nossa resistência e problemas que desafiam nossa inteligência, mas que, por outro lado, nós temos capacidade, disposição e condições para enfrentar, sobreviver e ainda alcançar novos patamares, exatamente porque esta é a situação?

Tempos difíceis não são prerrogativa de nosso tempo, nem de nosso país. A vida nunca foi fácil, e não precisamos ir tão longe. Basta lembrar da expectativa de vida

um novo olhar

do século XIX que, apesar de marcar o início da ciência e da justiça social, ainda era uma época muito difícil para a imensa maioria das pessoas. Para elas, manter o otimismo e a alegria não era tarefa fácil. Na época, a escritora americana Eleonor Porter interessou-se pelo assunto. Ela já havia produzido algumas obras interessantes, mas limitadas. O sucesso e o reconhecimento mundial vieram quando ela tocou nesse tema tão humano.

Em 1913 ela publicou a história de uma menina de 11 anos que, após a morte do pai, se muda de cidade e vai morar com uma tia rica e severa. Sua nova vida não é nada fácil, mas a menina havia aprendido com o pai um jogo psicológico muito útil para os momentos de dificuldade. Chamava-se "jogo do contente", e consistia em tentar encontrar, deliberadamente, um lado positivo em cada situação, por pior que fosse. Seu nome era Pollyanna.

Na década de 1970 psicólogos perceberam o arquétipo da menina em pessoas que teimam em ver só o lado cor-de-rosa da vida e com isso tendem a negar a realidade. Deram a essa conduta o nome de Síndrome de Pollyanna. A síndrome dos otimistas. A primeira interpretação é que o otimismo deve ser encarado com reservas. Será? Na verdade, o lado mau da síndrome não é o otimismo, e sim a negação da realidade, coisa que a menina Pollyanna, injustiçada, não fazia. Ela apenas via o copo sempre meio cheio, sem negar que ele também estava meio vazio. Essa postura exige lucidez, intenção e força.

O oposto desse arquétipo é o Hardy Har Har, a hiena companheira do Lipi the Lion, ambos personagens antropomórficos criados por William Hanna e Joseph Barbera, os mesmos pais de Tom e Jerry. Hardy é um pessimista irrecuperável. É famosa sua expressão "Ó vida, ó dores...". Para ele, nada vai dar certo, nunca. É melhor desistir. Hardy é um anti-Pollyanna. Quem está certo? Ambos. Ou nenhum, diria.

Quando leio o jornal pela manhã, ou quando participo de reuniões corporativas, em que o cenário é apontado como negativo, procuro trafegar entre os extremos dos dois personagens sem jamais atingi-los de verdade. Reconhecer a dificuldade e criar condições para enfrentá-la é o equilíbrio desejado. Manter o otimismo na adversidade é a maior demonstração de força interior, força esta que é composta por inteligência, análise crítica e pensamento estratégico. Aliás, ser otimista quando tudo está bem não é vantagem nenhuma, não é mesmo?

Além disso, é importante não perder a esperança, pois sem ela não resta mais nada. Entretanto, a esperança aponta para a espera, para a solução externa, para a certeza de que, com o tempo, tudo se resolve. Ser otimista é mais que isso. Ser otimista é confiar em sua própria capacidade de avançar, apesar das forças em contrário, de resolver as dificuldades, de crescer na adversidade, de ver a crise como oportunidade, de não se deixar vencer jamais. A luta é obrigatória. O otimismo é opcional, e é uma bela opção. Truman Capote teria concordado.

12

um ensaio sobre a dor

Sempre achei que não sentir dor seria muito bom. Jamais me ocorrera que não sentir dor poderia ser uma desgraça.

Um plantão de 24 horas num final de semana em um pronto-socorro municipal é garantia de fortes emoções. Estudante de medicina, eu participava desse treinamento com satisfação, pois era certeza de bons aprendizados, além das tais emoções. Os acadêmicos eram responsáveis pela recepção dos pacientes, pela triagem e encaminhamento aos médicos, e por realizar tratamentos padronizados, como em pessoas que precisavam de pequenas suturas, mulheres com fortes enxaquecas, homens com dores no peito, crianças com asma, além de bêbados que mal se aguentavam em pé, entre outros trabalhos.

E havia também os casos curiosos, como o pescador que engoliu um peixe enquanto nadava no rio e que ficou entalado em sua garganta, mexendo-se freneticamente. Ou o garoto que enfiou uma ervilha no ouvido e não contou para ninguém até que começou a inflamar. E o galanteador da noite que apareceu com um espetinho de madeira enfiado na barriga com os pedacinhos da carne não comidos pendurados, como resposta a um gracejo mal recebido por uma moça que voltava do trabalho.

Independente da especialidade que seguiriam depois, os professores recomendavam aos acadêmicos que não perdessem a oportunidade dessa formação em medicina de urgência. Trabalhar em um pronto-socorro requer, além de conhecimento técnico, velocidade de reação, espírito de equipe, resistência física e um bom estômago. Este é um lugar onde você pode encontrar a morte e o sofrimento em doses altas. Das experiências que colecionei, houve muitas que me marcaram, mas, uma em particular, me ensinou muito mais do que medicina. Foi uma lição de vida.

Era o cair da tarde de um sábado frio em Curitiba, daqueles que combinam com pinhão na brasa e vinho quente com gemada. Eu estava com colegas na calçada em frente à porta de recepção, para onde são encaminhadas as emergências, quando de um carro desceu apressado um casal com um garoto embrulhado em um cobertor. O garoto parecia bem, mas o casal estava bastante alterado. Eu e um colega os atendemos enquanto um terceiro ia buscar uma maca de rodas.

— Ele se queimou... se queimou... – dizia o pai. Quando lhe perguntei onde era a queimadura ele apontou as nádegas, dizendo que o menino havia se sentado sobre a chapa quente de um fogão a lenha. Esse tipo de fogão é comum nas cidades frias do sul e, com frequência, serve para aquecer a casa, não só para cozinhar.

Empurrando a maca eu e meus colegas nos olhávamos com algum espanto, não pela reação dos pais em desespero, mas pela calma do garoto, que não parecia demonstrar nenhuma dor. Quando perguntei seu nome ele reagiu como se estivesse se divertindo com todo aquele agito. Ficamos tranquilos, achando que havia um exagero histérico por parte dos pai. Mas a impressão se desfez quando colocamos o menino na maca de exame e tiramos os panos que o envolviam. A queimadura era séria, muito séria. A tal ponto de não ousarmos tratá-la sem chamar um dos professores que, como nós, estava de plantão naquele dia.

O garoto acabou sendo levado para o centro cirúrgico, pois havia tecido morto a remover, infecção a evitar, e era evidente que depois ele precisaria de um transplante de pele. Ele tinha uma queimadura de 3° grau nos glúteos e em uma boa parte das coxas posteriores. Qualquer um estaria gritando ou desfalecido. Como podia ele estar calmo, como se nada sentisse?

Depois de mandá-lo para o centro cirúrgico, o professor nos chamou para conversar.

— O que vocês acabaram de ver é um caso raro de síndrome de Riley-Day.

Como nenhum de nós já tinha ouvido falar de tal síndrome, o professor nos explicou tratar-se de uma anomalia genética muito rara, em que o portador tem uma desordem neurológica que afeta os neurônios sensoriais. "Ele não sente dor, e essa é sua desgraça", filosofou.

Eu nunca tinha pensado dessa forma. Jamais me ocorrera que não sentir dor poderia ser uma desgraça. Sempre achei que não sentir dor era bom. O professor colocou o fato na perspectiva correta. Aquele menino sentou sobre uma chapa quente e não tinha como sentir a dor salvadora que faria com que ele imediatamente saísse daquela fonte de calor intenso. A consequência foi uma lesão que marcaria seu corpo para sempre. Definitivamente, a dor é uma benção. Não sentir dor é uma maldição.

Nunca mais soube daquele pacientezinho curitibano. Torço que ele tenha encontrado uma maneira de conviver com sua síndrome e que tenha levado uma vida razoavelmente normal. Mas nunca esqueci dele, e costumo lembrar daquele sábado em situações em que a dor me acomete, principalmente quando essa dor não é física. Quando o que dói é a alma.

Assim como a dor física funciona como um alerta e provoca uma reação imediata, as dores emocionais, como a angústia, a tristeza, a raiva, também servem para nos dizer que algo não vai bem, e que temos que sair de cima da chapa quente.

A pergunta é: por que demoramos mais para reagir às dores psicológicas? Em uma ocasião levei meses para perceber que uma ansiedade imensa que me preenchia o peito tinha causa conhecida e bem sabida: uma relação daquelas bem destrutivas, recheadas de ciúmes, desconfianças, discussões sem fim. Só eu parecia não saber. Na verdade eu me negava a reconhecer que aquele sofrimento todo não justificava os possíveis bons momentos. Não restava dúvida que havia forte relação entre a causa e o efeito, que aquela relação era desastrosa e que não era possível continuar assim. Nada contra a pessoa. O problema era a relação em si.

Em geral as chapas quentes das dores emocionais são as relações. E não estou falando só de relações entre casais. Também entram nessa lista as relações entre colegas no trabalho, entre amigos do grupo, parentes e, o que tem maior potencial de causar uma dor que não é detectada: o trabalho.

O número de pessoas frustradas com seu trabalho ou sua profissão não é pequeno, o que nos leva a perguntar por que elas não mudam de atividade, ou de local de trabalho. Será que não percebem que é dali que vem a causa de sua infelicidade? Será que acham que a vida é assim mesmo? Que as coisas vão melhorar, basta ter um pouco de paciência?

A tal síndrome da falta de dor me ensinou que não podemos fingir que a dor não existe. Ela é um alarme e, embora natural, não precisa ser normal. Devemos combatê-la. Mas, cuidado, analgésicos ajudam, mas são remédios sintomáticos, não eliminam as causas. Às vezes, é preciso ir mais fundo, pesquisar com coragem, não negar as evidências, cortar, purgar, extrair, e também permitir-se chorar um pouco.

13

sempre tem um *mas*

Uma coisa é dizer: "eu sei que está ruim, mas vai melhorar".
Outra é afirmar: "eu sei que vai melhorar, mas que está ruim, está".

Em tempos bicudos como o que estamos vivendo, uma boa dose de otimismo pode nos ajudar a enfrentar as dificuldades do dia a dia. Os otimistas costumam ser mais positivos diante das adversidades e, com isso, têm mais chance, não só de encontrar meios para sobreviver à crise, como de criar alternativas para sair dela, independente dos acontecimentos ao seu redor.

Reconhecemos os otimistas de algumas maneiras: uma delas é pelo tempo de seu discurso. Enquanto os pessimistas falam no pretérito, os otimistas preferem falar sobre o futuro. Os pessimistas insistem em ponderar como deveria ter sido. Os otimistas ocupam-se em discorrer como poderá vir a ser. Ao mesmo tempo em que um pessimista culpa o passado pelo presente, o otimista encontra no presente os elementos para alavancar o futuro. É o jogo dos tempos, e cada um é mais hábil a seu jeito.

Outra maneira de diferenciar um pessimista de um otimista é pelo uso do *mas*. Sim, do *mas*... a conjunção coordenativa adversativa, a palavrinha de três letras muito usada quando dois pensamentos se complementam, e parecem ser opostos. Usamos esse artifício linguístico todos os dias, várias vezes, e nem nos damos conta disso. Cada vez que você diz "agora faz sol, mas mais tarde vai chover", ou "minha cabeça dói, mas já vai passar", está usando uma conjunção que, assim como a preposição, tem a finalidade de ligar termos de uma mesma oração. Lembra das aulas de Língua Portuguesa no colégio?

Vale recordar. As conjunções podem ser aditivas, conclusivas, alternativas, explicativas e também adversativas. As adversativas são as que indicam clara oposição entre duas ideias. O *mas* é uma delas. As demais, todos conhecemos: porém, contudo, todavia, entretanto, no entanto, não obstante.

Pulando da gramática para a psicologia, quem abusa das conjunções adversativas passa uma imagem de certa indecisão perante os fatos da vida. Tipo: "não sei bem o que quero, mas me dá este aqui", ou "acho que vou tentar, mas não tenho certeza que vou conseguir".

Voltando ao tema do otimismo e do pessimismo, sabemos que esses dois estados, que refletem a visão que as pessoas têm da situação em que se encontram, bem como das perspectivas futuras, se refletem no uso dos recursos linguísticos. Um desses recursos é o uso do *mas*. Ou melhor, da ordem em que se colocam os termos da oração em torno do *mas*. Explico. Uma coisa é dizer: "eu sei que está ruim, mas vai melhorar". Outra é afirmar: "eu sei que vai melhorar, mas que está ruim, está".

As duas frases acima envolvem exatamente os mesmos elementos em sua construção. Ambas fazem uma ponderação sobre a situação presente e uma consideração relativa ao futuro. A diferença está no foco. Enquanto a primeira frase está claramente focada no futuro, a segunda denuncia uma preocupação maior com o presente. E este, como sabemos, não é nada bom.

Lembro de uma colega de trabalho que sempre terminava suas frases com "mas veja bem...". Não importava o que vinha antes. Ela podia estar falando de um projeto, de uma conquista, de uma notícia boa, sempre emendava o "mas veja bem...", e depois vinha uma consideração do

um novo olhar

tipo "é preciso ser cauteloso", ou "as coisas nem sempre são como parecem ser". De pouco importava quão auspiciosa era a notícia, sempre tinha um *mas* para colocar as coisas em perspectiva. A perspectiva dela, claro, que quase sempre era pessimista.

Outra pessoa que emerge de minha memória é outro amigo querido, otimista de carteirinha. Ele também usava o *mas*, só que em outra conotação, evidentemente. Quase sempre seu *mas* vinha antes de "vamos dar um jeito", ou "isso vai passar, você vai ver".

Tem *mas* para todos os gostos. Depende de nós usá-lo para criar um bom ambiente, um estado de esperança racional, um estímulo à solução, ao desenlace ideal, ao melhor momento, ou não. Sempre podemos usar o *mas* para criar inspiração ou para jogar um balde de água fria no ânimo de qualquer um.

Li, recentemente, dois textos sobre esportes que abusavam do *mas*. Um era sobre um jogador conhecido de futebol. Disse o colunista, em um texto primoroso, que o problema do tal jogador era que ele era um jogador "mas". Era visivelmente talentoso, mas seu talento não estava colaborando com sua carreira. Ele é capaz de jogadas brilhantes, mas elas nem sempre aparecem quando são mais necessárias. Cria oportunidades fantásticas, mas nem sempre finaliza. Esse jogador carrega um "mas do mal" em seu currículo.

O segundo texto era sobre outro atleta, este de salto com vara. Nos Jogos Pan-Americanos de Toronto, ele não conseguiu o resultado que queria, e que se esperava dele. Por seus resultados anteriores, ele era forte candidato ao ouro, e ainda é uma das esperanças para as Olimpíadas do ano que vem. Disse o colunista que ele não conquistou a medalha, "mas" isso não significa que ele não foi bem-sucedido, considerando a fase do treino em que se encontra. Ele não ganhou, mas esse fato não se deve à falta de talento ou qualidade, e sim à sua inexperiência e à estratégia usada durante a prova, que foi, acima de tudo, um grande aprendizado. Agora ele amadureceu.

O primeiro *mas* questiona o valor do jogador de futebol. O segundo *mas* deixa claro que o saltador continua sendo uma de nossas esperanças. Essas são situações em que o *mas* serve para ponderar, analisar, criar uma imagem mais realista de um fato, uma situação, ou mesmo sobre uma pessoa, um profissional.

Ou outro valor do *mas* é o de criar esperança. Quando algo não está bem, como o momento econômico brasileiro que a cada dia parece piorar, com o crescimento da inflação e do desemprego, surgem duas vertentes de pensamento: a de que tudo vai piorar e a de que, daqui pra frente, só é possível melhorar. "A situação é ruim, mas não será para sempre", dizem alguns. Outros preferem afirmar que "a situação está ruim, mas ainda não chegamos no fundo do poço". Tem *mas* pra todos os gostos.

E já que é assim, proponho o otimismo consciente. Aquele que não nega a realidade como ela é, mas que acredita na solução, no recomeço, na recuperação, na melhoria, no crescimento. Nosso país está como está porque fizeram com ele o que fizeram. Mas ele será o que será porque faremos o que faremos. E, neste caso, como diz o ditado, "não tem *mas*, nem meio *mas*". Só depende de nós.

14

o maestro e o tubarão

Em vez de decidir e agir, eu me limitava a observar as barbatanas desenhando um círculo ao meu redor, sem me dar conta que o círculo estava ficando menor.

— Amigo, preciso de um favor. Você tem que me emprestar tua casa.

Favores são comuns entre amigos, mas aquele pedido era, no mínimo, inesperado. Eu já havia emprestado dinheiro, carro, livros e até roupas, mas nunca ninguém

um novo olhar

havia me pedido emprestada a casa em que eu morava. Mas, como dizem, para tudo tem uma primeira vez.

Nos anos 1980 eu morava em uma casa sem luxos, mas muito espaçosa e confortável, em um bairro aprazível de Curitiba. Seus ambientes eram amplos e tinha uma boa área de lazer, onde as crianças podiam brincar, mas em que os adultos também gostavam de estar. No centro, uma lareira que aquecia praticamente toda a casa no inverno rigoroso da capital do Paraná.

Na época, meus amigos Paulo e Fernando eram sócios em uma empresa de eventos e shows, e haviam conseguido uma proeza e tanto para dois pequenos empresários: trazer o grande maestro argentino Astor Piazzolla para uma apresentação única no Teatro Guaíra.

A Curitiba daqueles anos já tinha ares de metrópole, mas ainda se comportava de maneira provinciana. A vida cultural procurava se firmar através de iniciativas isoladas no Teatro Paiol, no Teatro da Classe e no Guairinha, que é o nome carinhoso que os curitibanos dão ao auditório Salvador de Ferrante, um dos três que compõem o complexo do Teatro Guaíra. Com seus 496 lugares, foi inaugurado em 1954, duas décadas antes da conclusão da imponente obra.

O auditório maior – o Guairão – tinha sido aberto ao público recentemente e os grandes espetáculos ainda aconteciam de modo esporádico. Trazer Piazzolla havia sido um ato de ousadia e uma grande conquista para os dois jovens empreendedores. Os 2.167 ingressos foram vendidos rapidamente, e não faltaram patrocínios para viabilizar a vinda do grande músico argentino que havia reinventado o tango. Piazzolla e sua pequena orquestra eram pessoas simples, sem as grandes exigências, comuns às estrelas dessa grandeza. Apenas um pedido desconcertou os promotores curitibanos: após o show, Piazzola queria jantar na casa de uma família da cidade, e não em um restaurante, por mais recomendado que fosse.

E este era o favor que meus amigos me pediram. Que eu cedesse minha casa para que um jantar fosse servido a um dos maiores expoentes da história da música argentina, latino-americana e mundial. Eles contratariam um buffet, levariam garçons, convidariam algumas pessoas entre os intelectuais curitibanos e assim atenderiam ao pedido do maestro. A mim só caberia comparecer, como convidado, à minha própria casa. Quem estava prestando um favor a quem, afinal de contas? – pensei. E imediatamente concordei com o pedido

É claro que fui ao espetáculo, onde quase chorei ouvindo o bandoneón de Piazzolla derramar os acordes de suas composições do chamado *Nuevo Tango*, o estilo que havia elevado a música portenha, nascida nos cabarés de Buenos Aires, cheia de drama, paixão, sensualidade e agressividade, à condição da música clássica, grave e sofisticada. Como eu passei parte da infância na Argentina, para onde meus pais se mudaram durante algum tempo, aqueles acordes pareciam familiares e saudosos. A noite foi impecável.

Quando cheguei em casa tive que apresentar documento ao segurança que verificou se meu nome estava na lista. Nunca pensei que passaria por tal situação bizarra, mas não me importei nem um pouco. Logo depois chegaria Piazzolla. Afável, simples, com seu indefectível bigode, parecia menos estrela que os membros de sua trupe. Simpático e atencioso, queria conhecer os donos da casa, interessou-se pelos quadros e pelos livros, afagou o *Kanak*, nosso *cocker spaniel*, que retribuiu com uma lambida na mão ilustre. Quando viu que havia uma mesa de sinuca foi logo querendo jogar. Perdeu para um de seus companheiros, que parecia ter sido criado em um salão de bilhar portenho.

O cardápio incluía vinho branco, e este foi seu único descontentamento: "Não haveria, por acaso, uma garrafa de vinho tinto?". "Claro que sim, maestro, a melhor que eu tiver...". E foi nessa ocasião, com uma taça de Bordeaux intocado nas mãos, que eu tive a oportunidade de conversar a sós com Piazzolla.

— Maestro, adorei sua apresentação. Uma das melhores noites musicais de minha vida. Mas fiquei intrigado com uma música em especial – comentei, meio tímido.

— E qual seria? – perguntou ele, levantando os olhos que até então fitavam o escarlate escuro que girava em sua mão.

— Acho que se chama *Escualo* – respondi.

Piazzolla então sorriu. Seu rosto se iluminou de forma que me fez perceber que eu havia me referido a algo importante. *Escualo* não tem o rigor clássico de *Libertango*, a música que melhor representa a mudança de status do tango, nem o lirismo triste de *Adeus Nonino*, composto para homenagear o pai do autor, recém-falecido, e que Piazzolla considera sua melhor obra, a ponto de afirmar que, quando a compunha estava acompanhado por anjos.

Escualo é uma música grave, um pouco angustiante, que transmite a sensação, proposital, de que há um perigo iminente. *Escualo*, em espanhol, significa tubarão. Foi quando descobri que Piazzolla, o grande maestro de reconhecimento mundial, um homem afável, de aparência comum, era aficionado por um esporte para poucos: ele gostava de caçar tubarões. Em suas viagens pelo mundo costumava alugar barcos especiais, contratar tripulações especializadas e arriscar-se mar adentro em busca do tal terror dos mares. Depois da luta entre o homem e o grande peixe, este, vencido, era devolvido à água. Quando lhe perguntei porque fazia isso, sua resposta foi profunda como o mar:

— Um homem tem que enfrentar seus tubarões.

Não, ninguém precisa caçar tubarões, como Piazzolla. Mas não era disso que ele falava. Os tubarões a que ele se referia eram metafóricos, significavam nossos desafios, dilemas, dramas, decisões e crises. Esses monstros dos mares da alma que nos espreitam e ameaçam e que, na maioria das vezes, protelamos em enfrentar.

Na época eu estava sendo ameaçado por dois desses tubarões, e me faltava coragem para enfrentá-los.

um novo olhar

Eu tinha que resolver se continuaria ou não com meu trabalho e com meu casamento. Mas, em vez de decidir e agir, eu me limitava a observar as barbatanas, desenhando um círculo ao meu redor, sem me dar conta que o círculo estava ficando menor.

Sim, querido maestro, você tem razão. Um homem tem que enfrentar seus tubarões, senão será devorado por eles. Até hoje, quando me sinto acuado por uma decisão difícil, lembro-me de você, seu sorriso, seu bandoneón e sua sabedoria. E trato de enfrentar meu tubarão de frente.

15

tempo, inteligência e coragem

"Em situações difíceis, além de usar o conhecimento e a criatividade, também precisamos de uma injeção de ânimo, uma palavra que nos estimule."

O tema daquele encontro era avaliar as alternativas para sobreviver da melhor maneira possível à fase da economia em queda. Gestão de crises não chega a ser um assunto desesperador para executivos bem formados, com noções claras de estratégia e experiência em driblar os sustos do mercado, da

um novo olhar

economia e da política. Por definição, crise tem começo, meio e fim, e as empresas que conseguem passar pela fase ruim sem comprometer a estrutura e, principalmente, sem demitir funcionários, sairá fortalecida e em vantagem competitiva.

Não é pequeno o número de pensadores da gestão, escolas de negócios e grandes consultorias no mundo inteiro, que dedicaram tempo e capacidade para pesquisar as crises e apresentar modelos de gestão que podem ser adaptados à realidade de cada lugar e cada tempo. Naquele dia estávamos nos dedicando a avaliar alguns desses modelos com a finalidade de criar um próprio, bem direcionado. Falávamos sobre revisão de processos, contenção de custos, novas abordagens comerciais, estímulos à inovação, postura das lideranças para passar confiança aos times. Coisas que todas as empresas devem estar fazendo nesse momento.

Já estávamos no final do primeiro dia quando, em um intervalo para o café, a Sílvia, uma das participantes mais interessadas e criativas do evento me procurou e foi direto ao ponto:

— Sabe, em situações difíceis, além de usar o conhecimento e a criatividade, também precisamos de uma injeção de ânimo, uma palavra que nos estimule.

— Concordo plenamente. Por isso estamos aqui falando sobre o papel dos líderes, que devem atuar como inspiradores de suas equipes.

— Então veja isto – disse ela, me emprestando seu

smartphone, que tinha um vídeo pronto para ser acionado. Os 75 segundos de duração do vídeo absorveram minha atenção e mudaram substancialmente a condução do workshop.

Tratava-se de uma entrevista de um líder. Sim, um líder que é fácil de seguir, e que não é da política, nem do mundo dos negócios, como era de se esperar em um ambiente corporativo. O líder em questão vestia roupa branca, trazia uma corrente com um crucifixo pendurado ao pescoço e, no rosto, um sorriso permanente. Era Francisco, o Papa.

Sentado diante de um auditório solene, Francisco responde a perguntas das pessoas, sobre a vida, não sobre religião. De repente, no telão aparece um jovem que lhe faz um questionamento muito simples:

— O que o senhor faz quando está na situação em que tem que enfrentar um grande problema (daqueles que no primeiro momento parece que vão nos destruir)?

Como é de seu feitio, Francisco sorriu antes de falar, e quando falou, usou palavras simples, pausadas, como se quisesse acalmar uma pessoa nervosa (e quem não está, nos dias turbulentos em que vivemos?).

— A primeira coisa a fazer é não se desesperar – disse ele, com naturalidade. É preciso ficar tranquilo, para depois buscar a maneira de vencer o problema, de superar a situação.

Até aqui – você pode estar pensando – ele foi simples demais, falou o óbvio, foi praticamente raso. Mas é preciso ver o filme até o final. Disse o óbvio sim, então parou breves segundos, baixou ligeiramente os olhos, e com a voz ainda mais calma, emendou:

— E se não é possível superar... suportar. Aguentar... Até que surja a possibilidade de superar.

Mais obviedades? Pode ser, mas sempre é bom lembrar que temos uma imensa tendência a desconsiderar e esquecer do óbvio, que é onde está a verdade, na maioria das vezes. Diante do problema, manter a calma, procurar resolver e, na impossibilidade, resistir, até poder resolver. Óbvio. Por que nos desesperamos e desistimos, então?

— Você não deve se assustar nunca com as dificuldades. Nós somos, sim, capazes de superar todas elas – emendou o papa, para então concluir de maneira brilhante seu raciocínio:

— Tudo o que precisamos são três coisas: tempo para compreender a situação, inteligência para buscar o melhor caminho, e coragem para seguir em frente.

Tempo, inteligência e coragem. Paciência, organização e atitude. Algo mais?

Quando voltamos à análise dos grandes pensadores de gestão, e à elaboração da melhor estratégia para aquele momento, eu não conseguia não encontrar paralelos entre eles e o Papa. Quase todos falam sobre a importância do equilíbrio emocional das equipes de trabalho, sobre a manutenção do moral alto, da motivação, da necessidade dos líderes inspirarem as pessoas a darem o melhor de si, a manterem o olho posto no futuro, que "será melhor que este momento de dificuldade e sofrimento pelo qual estamos passando" etc. O que disse Francisco? "Primeiro, manter a calma, não se desesperar jamais...".

Que mais orientam os bambas da administração? Que é imprescindível aprimorar a gestão, rever os processos, conter os custos, encontrar alternativas para vender mais, fidelizar o cliente, estabelecer parcerias, criar novas estratégias de ação. Como ele resumiu tudo isso? "Inteligência para encontrar o melhor caminho...". E, por último, é bom lembrar que não é suficiente apenas elaborar uma nova estratégia. É preciso agir, executar o planejado, colocar energia na ação, estar preparado para enfrentar o pior, acreditando no melhor. É preciso, sim, "coragem para seguir em frente", como disse Francisco, com a naturalidade de quem já precisou dela muitas vezes.

Como a vida parece fácil quando um sábio a descreve. Será que isso se deve apenas à capacidade de explicar, de simplificar a complexidade e de colocar as coisas em sua devida perspectiva? Ou será que essa capacidade serve para nos iludir, tentando pintar de rosa um quadro que na verdade é negro? Perspectiva correta ou ilusão passageira?

Refleti muito sobre essa dualidade, e acho que cheguei à minha conclusão. Ou minha escolha, talvez. Confesso que prefiro a primeira alternativa: a simplificação inteligente, que significa, acima de tudo, colocar o mundo em ordem em minha cabeça e meu espírito, antes de

um novo olhar

partir para a ação e arrumar o que pode ser arrumado. E tudo pode ser consertado e melhorado, se você tiver calma para aceitar, inteligência para organizar e coragem para agir. Simples assim, disse Francisco, o Papa, mesmo sabendo que pode ser que isso não seja fácil.

16

adaptação não é acomodação

Pela lógica darwiniana, uma espécie nunca é exterminada por outra. O que a fulmina é sua própria incapacidade adaptativa.

Era janeiro em Londres. O frio cortava, mas o dia estava ensolarado, combinação que costuma se transformar em festa para os súditos da Rainha, e facilitar a vida dos turistas. Inclusive a minha, que sou quase íntimo da cidade, pois lá tenho família.

um novo olhar

É onde moram minha filha Melissa, que foi estudar e se radicou, e a Isabel, a princesinha, que lá nasceu. Apesar disso, sempre tenho comportamento de primeira viagem, pois Londres não para de surpreender.

Naquele dia o programa era básico: visitar a Abadia de Westminster, a imponente catedral gótica, que começou a ser construída no ano de 616, às margens do Tâmisa, no local onde um pescador jurava ter tido uma visão de São Pedro. Os séculos se passaram e a abadia sofreu incontáveis reformas e ampliações, foi o palco da coroação de reis e rainhas e, obedecendo a um rito anglicano, tornou-se o mausoléu de importantes súditos, que fizeram por merecer essa nobre morada eterna. Westminster comporta cerca de 3.000 túmulos, que podem ser vistos, tocados, e até pisados, uma vez que muitos se espalham pelo chão dos corredores.

Eu não sou um necroturista, definitivamente, mas queria experimentar uma vez a sensação de estar perto de Newton, de Dickens, de Laurence Olivier e, principalmente de Charles Darwin. Todos fazem parte de meu panteão de heróis intelectuais, mas Darwin ocupa um lugar de destaque. Ele me impressionou muito no colégio e influenciou minhas escolhas na vida, como ter estudado medicina e ter sido professor de biologia por mais de 25 anos. Tinha planos de visitar sua casa, a Down House, em Kent, mas ela fecha justamente em janeiro para reparos. *"Bad luck"*... Ir a Westminster era uma espécie de consolo. Belo consolo, aliás.

No local, um fato curioso. Você olha para o túmulo de Newton ao mesmo tempo que está parado sobre o de Darwin. Impossível não sentir uma emoção contida. Dois gigantes da ciência, tão próximos. Não há como não admirar esses homens que, com os poucos recursos disponíveis na época, criaram teorias que se comprovaram pela observação e experimentação, e que viraram marcos da inteligência humana.

Em minha formação intelectual, entretanto, Darwin foi mais forte. Ele está para a biologia assim como Newton está para a física, só que sua teoria ultrapassou as fronteiras da ciência que a gerou. Quando nos referimos a Newton, costumamos dizer "Leis de Newton". Quando nos referimos a Darwin, usamos a expressão Darwinismo. Não há um Newtonismo, mas há um Darwinismo. Por quê? Porque sua abrangência é maior, saiu da biologia, e pode ser percebida em muitas outras áreas, como na economia, na tecnologia, nos negócios, nas profissões e no conhecimento em si mesmo.

Estou certo que você, que está lendo este texto, sabe quem foi Charles Darwin e reconhece sua influência sobre o pensamento moderno. Você o estudou no colégio, como eu. Caiu na prova, lembra? Como também estou certo de que você sabe pouco sobre a teoria do evolucionismo, pelo fato de que Darwin é mais conhecido por aquilo que nunca disse. Ele nunca afirmou, para começar, que o homem descende do macaco. Isso foi dito por seus detratores. Segundo ele, nós teríamos

um novo olhar

evoluído a partir de um ancestral comum, em uma linha evolucionária própria, o que é totalmente diferente.

Darwin também não negou a intenção divina, apenas explicou que havia fortíssimas evidências de que nós seríamos resultado de um longo (longuíssimo) processo evolucionário baseado na seleção natural. Ele também nunca salientou o tamanho, ou a força, como determinantes da seleção. O que ele disse foi que, na luta pela sobrevivência, venceu o que tinha mais aptidão. Apenas isso. A seleção do mais apto.

Entenda-se por aptidão a capacidade de obter alimento do meio ambiente. A qualidade da relação do indivíduo com seu ecossistema determina sua sobrevivência e a perpetuação de sua espécie. Nada mais lógico, pensando bem. Aptidão: esta é a primeira palavra essencial para se compreender o darwinismo. A segunda é adaptação.

Como o ecossistema não é um ambiente estático, está em permanente mudança, seus habitantes terão que se acostumar com essas mudanças e, de certa forma, mudar também, para poder continuar vivendo ali. Terão que se adaptar, então. Adaptação é a capacidade do indivíduo manter – ou recuperar – a aptidão, apesar da mudança do meio ambiente. Os adaptados sobrevivem, se reproduzem e se perenizam. Os não adaptados não conseguem competir pelo espaço e pelo alimento com os adaptados, diminuem sua taxa de reprodução e, em um tempo razoavelmente curto, terminam por desaparecer.

Interessante essa lógica darwiniana. Uma espécie nunca é exterminada por outra. O que a fulmina é sua própria incapacidade adaptativa.

E o homem atual nisso tudo? Viver na sociedade contemporânea é um ato darwiniano? Sim e não. Longe de mim defender o darwinismo social. Spencer fez isso e foi criticado, com justa razão, pelo simples fato de ter esquecido que o ser humano possui qualidades inexistentes nos bichos. A compaixão, por exemplo, esse sentimento tão nobre, nos estimula a proteger os desfavorecidos, os menos aptos à sobrevivência. Não, não somos orientados puramente pelo darwinismo em nossa evolução social. Apenas o fomos enquanto espécie.

Entretanto, há um lado do pensamento do inglês sobre o qual precisamos prestar atenção total: a tal adaptação. Em um mundo cuja principal característica é a velocidade da mudança, quem não a percebe e não a compreende, perde a qualidade de viver em harmonia com seu espaço. Uma empresa, por exemplo, é um organismo vivo que habita um ecossistema chamado mercado, e que está em constante transformação. Clientes mudam, tornam-se mais exigentes, concorrentes se aprimoram e ficam mais competitivos, novas tecnologias surgem, métodos de gestão, solavancos na economia e na política. Mudanças que exigem adaptação permanente.

O mesmo vale para nossas carreiras, independente da área. Difícil manter a performance profissional se não estivermos estudando, aperfeiçoando o que fazemos,

um novo olhar

nos adaptando aos novos tempos. Quase impossível viver neste admirável mundo novo sem o auxílio das tecnologias modernas, essas engenhocas maravilhosas que facilitam nossa vida quando bem usadas. Não à dependência, sim ao uso racional e produtivo. Adaptação em estado puro.

Mas, cuidado, adaptação não é acomodação. Alguém acomodado apenas aceita as mudanças propostas, as coisas como são, a vida como chega. O adaptado interage, entende, muda, mas não se acomoda. Adaptar-se não é aceitar sempre as coisas como são. A adaptação ativa é protagonista, atuante. É a maravilhosa capacidade humana de acreditar e de mudar para melhor. Que nosso pacto com a evolução, principalmente da consciência, nunca tenha fim. Antes, seja sempre um novo começo.

17

a alavanca e o braço

Estariam, afinal, as máquinas se voltando contra seus criadores? Seria este um tema só da ficção, ou na prática, de alguma forma, as máquinas nos prejudicam, pois nos tornam dependentes delas?

A cena foi bizarra. Éramos três amigos que decidiram tomar um café no balcão de uma padaria. Uma cena tipicamente brasileira e urbana. "Três cafezinhos, por favor" – um de nós disse para a moça do balcão e fomos prontamente atendidos.

Delícia. Nada contra o expresso, mas um café de coador, passado na hora, é insuperável. Sorvemos o forte líquido negro, quente e ligeiramente açucarado com prazer, naquele dia frio de Curitiba.

Mas, você deve estar se perguntando: o que há de bizarro em três amigos tomarem um cafezinho no balcão de uma simples padaria? Nada, até aí, mas espere um pouco. O estranho aconteceu na hora de pagar. Passei a comanda para a funcionária do caixa, uma jovem sorridente, ao mesmo tempo que informei, como que para facilitar sua vida: "Foram três cafezinhos". Foi a deixa para que a moça estendesse o braço e pegasse uma calculadora, daquelas antigas grandonas, digitasse alguns algarismos, antes de me dizer: "São seis reais, senhor".

Fiquei alguns segundos sem reação, pois estava refletindo sobre o que tinha acabado de acontecer. Aparentemente não houve nada de anormal, mas vamos olhar mais de perto. Se a conta foi de seis reais, isso quer dizer que cada café custou dois reais, uma vez que éramos três. Sim, seis é múltiplo de dois, e fazer qualquer conta a partir do número dois é de uma simplicidade abissal. O que pode ser mais simples do que calcular um múltiplo de dois? Principalmente considerando que eram apenas três os cafés servidos? Mesmo assim, a funcionária do caixa, pretensamente acostumada a lidar com cálculos para poder cobrar adequadamente, lançou mão de uma calculadora eletrônica para chegar ao valor total da conta.

Naquele momento, não me contive e perguntei:

— Você precisa de uma calculadora para calcular quanto custam três cafezinhos de dois reais?

Ela me olhou com ar de que não havia entendido a pergunta e se limitou a balançar a cabeça positivamente. É claro que ela tem o direito de fazer seu trabalho da maneira que melhor lhe parece, e eu não tenho que me meter, principalmente porque ela estava cobrando certo, com total segurança. Nada errado nisso. Como cliente, eu estava satisfeito, mas como professor, como pai, como cidadão brasileiro, confesso que me incomoda o fato de alguém não conseguir multiplicar dois por três de cabeça. É, ou não é, bizarro?

A discussão posterior com meus amigos (claro que falamos sobre o fato) levantou duas questões. O nível de educação básica no Brasil, que é sofrível, foi a primeira questão. A segunda foi a relação homem/máquina. Esta é uma discussão tipicamente pós-moderna: até que ponto o uso da tecnologia pode emburrecer o homem, por assumir boa parte de suas tarefas cognitivas? Será que ao usar uma calculadora, para ficar no exemplo recente, estamos desaprendendo a fazer contas? O editor de textos do computador, para nós que escrevemos, estaria diminuindo a capacidade de escrever à mão, e nossa letra estaria ficando cada vez mais feia e incompreensível? Pessoalmente, acredito que minha caligrafia, que nunca foi grande coisa, está ficando pior, sim.

Pois é, desde que Lamarck enunciou a Lei do Uso

um novo olhar

e Desuso, lá no século XVII, sabemos que nosso corpo, incluindo aí o cérebro, se beneficia e se fortalece pelo uso constante. Músculos crescem, se tonificam e ficam fortes pela musculação. Da mesma forma, o cérebro melhora sua capacidade cognitiva pelo uso intensivo do raciocínio lógico. Não é por outro motivo que o jogo de xadrez é considerado, sim, um esporte.

Estudar, ler, escrever, jogar, fazer palavras cruzadas, praticar esportes, são maneiras de estimular o funcionamento do cérebro e aumentar sua capacidade funcional. Não fazer nada disso provoca o efeito contrário e a pessoa vai perdendo a capacidade de resolver os dilemas básicos do cotidiano. Esta é a lógica que condena o uso da tecnologia que pensa por nós.

O próprio fundador do Waze, o israelense Uri Levine, em entrevista recente, afirmou que as pessoas não precisam mais pensar para escolher as melhores rotas entre o ponto onde estão e aquele para o qual se dirigem: "o GPS do celular vai fazer isso por você. Portanto, não pense, caro motorista, apenas aperte o cinto e aproveite a viagem". Não faltaram críticas a esse comentário, claro. Estaria ele certo? Estaríamos nós sendo gradualmente substituídos por robôs miniaturizados? Haveria um complô mundial para nos tornar dependentes das máquinas a tal ponto de não conseguirmos mais sobreviver sem elas? Onde está o cérebro vil que controla tudo isso?

Temas da ficção científica que passaram a fazer parte de nossa vida real. No filme *2001: uma Odisseia no*

Espaço, Stanley Kubrick coloca na tela a disputa entre o capitão David Bowman e o computador HAL 9000 pelo controle da nave espacial. Em *Eu, Robô*, Will Smith protagoniza o detetive Spooner, que desconfia que o suicídio de um cientista na verdade foi um assassinato, e o suspeito seria o robô Sonny, contrariando as leis da robótica, pelas quais um robô jamais poderia ferir um ser humano. Estariam, afinal, as máquinas se voltando contra seus criadores? Seria este um tema só da ficção ou, na prática, de alguma forma, as máquinas nos prejudicam, pois nos tornam dependentes delas?

Muita calma nessa hora. É claro que a tecnologia, especialmente a informática, com seus maravilhosos laptops, tablets e smartphones, transformaram para melhor a vida do homem moderno. Hoje somos mais informados e velozes, tomamos decisões com mais segurança, delegamos tarefas que nos ocupariam tempo e, assim, podemos nos dedicar a outras coisas, inclusive o lazer. Poderíamos viver no século XXI sem tudo isso? Certamente que sim, mas sem o mesmo grau de integração na sociedade moderna a que pertencemos. O que não dá é para emburrecer. Deixamos de fazer trabalhos físicos e começamos a frequentar a academia, pelo simples fato de que o corpo precisa fazer força e manter-se em movimento. Senão atrofia. O cérebro é igual. Se não for convenientemente desafiado, atrofia também.

Quando Arquimedes de Siracusa, no século II a.C. fez seus incríveis cálculos matemáticos usando apenas o cérebro, entre outras coisas, explicou a importância de uma alavanca. "Dê-me uma alavanca e um ponto de apoio e eu moverei o mundo", teria dito ele. Hoje, a calculadora da moça do caixa, o HAL 9000 do Kubrick ou o laptop em que escrevo este texto, nada mais são do que as alavancas de Arquimedes. Pessoalmente, pretendo usar a tecnologia cada vez mais, mas não para que ela me substitua, e sim, para que me ajude. A alavanca não dispensa o braço. Apenas o ajuda a ser mais forte, a levantar mais peso, a realizar mais. O que não podemos, definitivamente, é confundir a alavanca com o braço.

Só isso.

18

o desapego pragmático

Como jamais terá tudo o que deseja e, mesmo que tivesse, passaria a ter novos desejos, o homem estaria condenado a nunca conhecer a felicidade verdadeira.

Encontrei uma imagem no Facebook que me fez parar para pensar. Era de um homem com seu cão, caminhando, vistos de costas, tendo à frente algumas árvores e o sol lá no horizonte. Acima, uma pergunta: "Você sabe por que seu cão é mais feliz do que você?". Para encontrar a resposta, bastava olhar para os balões de pensamento acima da cabeça de ambos. Na do homem, seus desejos: um carro, praia, negócios, uma bebida, uma bela casa, entre outros. Na do cão aparecia ele próprio caminhando ao lado de seu dono, ambos vistos de costas, tendo à frente algumas árvores e o sol lá no horizonte.

Em resumo, o cão era mais feliz porque desejava ter exatamente o que já tinha, enquanto o homem sempre projetava seus desejos para aquilo que ainda não possuía. Como jamais teria tudo o que desejava e, mesmo que tivesse, passaria a ter novos desejos, o homem estaria condenado a nunca conhecer a felicidade verdadeira. Dá o que pensar, não é mesmo? Confesso que passei a olhar para a Preta e a Branca, minhas cachorrinhas sempre presentes ao meu lado, com mais respeito, por sua sabedoria natural.

A metáfora tem a ver com o desapego das coisas e a valorização das experiências. Enquanto o homem se ocupava em pensar sobre as coisas e as conquistas que queria ter, o cão tratava de viver aquele momento, simplesmente aproveitar a experiência de estar vivo. Há algo da sabedoria budista na postura deste cão.

É que um dos mais importantes ensinamentos do budismo é justamente aquele com o qual, eu, ocidental contemporâneo, nascido e criado na sociedade de consumo, tenho mais dificuldade: o desapego. Buda teria percebido que a razão maior do sofrimento é o apego, pois enquanto formos apegados a coisas que pertencem ao mundo físico, ao plano tangível, estaremos ocupando nossa mente com coisas não essenciais, e a busca do não essencial nos afasta do essencial, onde estaria a verdadeira felicidade. Nós, os apegados (quase todos nós, vamos concordar) sofremos porque somos impermanentes, estamos aqui de passagem, e impermanência não combina com apego, definitivamente.

Só que essa visão budista ultrapassa as crenças religiosas, uma vez que é dotada de uma lógica irrefutável. Qual o sentido de passar a vida apegado a coisas que, com certeza absoluta, só serão suas durante o tempo que dure sua vida? Repare quanta energia você gasta para manter o que, no fundo, nunca lhe pertenceu e nunca pertencerá de verdade.

Os budistas relacionam desapego com felicidade. A página em que encontrei a metáfora é da inglesa Jetsunma Tenzin Palmo, a primeira ocidental a se tornar monja budista na Índia. Durante sua longa preparação, se manteve em meditação e contemplação, o que incluiu passar doze anos em uma caverna no Himalaia, três dos quais em isolamento absoluto, sem interagir com ninguém. Uma carreira para poucos, definitivamente. Desapego total.

Pessoalmente, acredito que nós, que não tivemos tal experiência, não temos como assumir um desapego absoluto dos bens materiais e das relações afetivas, mesmo sabendo que podemos perder tudo isso a qualquer

um novo olhar

momento, e que um dia iremos embora da vida sem levar nada do que consideramos serem nossas posses. É que o desapego não faz parte de nossa cultura, de nossa educação, de nosso modelo mental. Entretanto, não foram poucas as vezes em que eu me percebi refletindo sobre o quanto o modelo do apego me fazia mal. Quantas vezes não fiz novas conquistas, não experimentei novas alegrias, não atingi novos patamares de sabedoria, pelo simples fato de estar profundamente apegado ao que tinha conquistado até então. A conquista só acontece depois da abdicação, concluí.

Um amigo, recentemente, contou-me que recusou uma oportunidade profissional espetacular porque ele teria que passar um tempo relativamente longo no exterior, por causa do apego à sua casa. "Só iria se eu pudesse levar minha casa junto", me disse. Como ele não é um caracol, recusou o convite, para depois passar um bom tempo se lamentando, pois, ao escolher não abrir mão de morar na casa que gostava tanto, abriu mão de um upgrade em sua carreira. Isso é o que os americanos costumam chamar de *trade off*, uma escolha que é uma troca. Ao trocar a promoção, pelo conforto da casa, não teria sido traído pelo apego? E se tivesse ido – você pode perguntar –, ele não estaria demonstrando apego exagerado à carreira, em detrimento da fidelidade às suas origens? Sem resposta...

O fato é que muitas vezes temos, sim, que exercitar o desapego, em nome de outros valores. Não é um exercício simples, eu sei, especialmente para quem não passou doze anos treinando em uma caverna na montanha, nem tem o objetivo de atingir o nirvana em vida. Mas, muitos ocidentais que não são budistas, eu inclusive, têm simpatia pelo budismo pela profundidade de suas mensagens e pela placidez de sua prática. O conceito do desapego, uma vez compreendido, passa a ser muito útil, mesmo que nossa visão nunca atinja a profundidade da de um monge.

Para um budista, o desapego tem a ver com elevação espiritual, com o distanciamento do que é volátil e a valorização do que é essencial. Para um não budista, exercer algum desapego sem ser decorrência de fé religiosa, pode ser um sinal de inteligência prática, pois o apego, definitivamente, pode ser inimigo do progresso. Apegar-se ao passado dificulta a construção do futuro. Apegar-se ao futuro inibe vivenciar o presente. Estar apegado a velhos pertences não abre espaço para os novos. Não conseguir fechar o ciclo de uma relação afetiva impede que se abra outro, talvez mais rico e prazeroso.

O desapego tem seu lado pragmático, sim. Não somos poços sem fundo onde cabe tudo o que acumulamos na vida. Na verdade, somos pequenas caixas de joias onde só cabem aquelas que usamos, que amamos e nos fazem bem. Não podemos ser como o padre Rodrigo Mendoza, interpretado pelo Robert De Niro no filme *A Missão*, que caminha pela floresta e até sobe cachoeiras carregando uma rede cheia de velhas pratarias, que prejudicam seu avanço. Pois tem muita gente assim, que avança pela vida carregando pesos mortos, de coisas ou de culpas. Falta-lhes desapego.

E é impressionante como o apego é confundido com amor. Costumamos nos apegar àquilo, ou àqueles, que amamos. Justificamos o apego pelo amor. Compreensível, mas pense um pouco: ao querer reter a seu lado alguém que você ama, mesmo contrariando sua vontade ou seu destino, você não estará infelicitando o objeto de seu amor? Talvez fosse bom ouvir mais uma reflexão da monja Palmo sobre o assunto. Segundo ela, o apego é, exatamente, o oposto do amor. Enquanto o apego diz: "Eu quero que você me faça feliz", o amor declara: "Eu quero que você seja feliz".

19

aprendendo a desaprender (ou como manter a alma nua)

"Eu já entendi o jeito novo de fazer. Eu só não sei ainda como não fazer do jeito velho."

Seu Félix trabalhava na fábrica há 22 anos. Funcionário exemplar, nunca havia faltado, o resultado da ilha de produção que ele gerenciava era sempre superior e, não menos importante, ele demonstrava que era feliz em seu trabalho. Sentia

um novo olhar

orgulho da profissão e da empresa onde tinha construído a carreira.

Um dia seu Félix e todos os demais supervisores foram convocados para uma reunião com o novo gerente de segurança da fábrica, um engenheiro chamado Silas. Jovem, sorridente e usando o novo uniforme da empresa de maneira impecável, o engenheiro recebeu os colegas, que foram se acomodando nas cadeiras do pequeno auditório de treinamento da fábrica. Com todos sentados, Silas começou sua explicação:

— Pessoal, nada de muito difícil. Só precisamos reforçar a preocupação com a segurança, por isso temos umas normas novas de comportamento aqui na fábrica.

E passou a demonstrar uma série de procedimentos, que incluíam o uso de óculos e protetores auriculares, rotinas de verificação de manutenção das máquinas e até caminhar pela empresa, que agora deveria ser por corredores pintados no chão.

No fundo, o que deveria acontecer eram pequenas mudanças de comportamento, mas isso criaria uma nova cultura, um novo jeito de viver e de trabalhar. O que os trabalhadores entregariam no final do dia, seria exatamente o mesmo: um determinado número de pares de calçados de plástico, só que a partir de novos procedimentos. Quando Silas perguntou se havia dúvidas, se ele tinha sido claro, seu Félix foi o primeiro a falar. Disse ele:

— Eu já entendi o jeito novo de fazer. Eu só não sei ainda como não fazer do jeito velho.

Sem querer, seu Félix tocou em um dos pontos mais sensíveis da relação ensino/aprendizagem. O grande problema não é aprender coisas novas. É desaprender coisas velhas. Substituir conceitos, hábitos, crenças, certezas. Isso é que é difícil.

Tudo o que aprendemos, seja um conhecimento, um conceito, uma nova competência ou mesmo um procedimento simples, depende do nosso repertório anterior. De certa forma, só aprendemos mesmo aquilo que já sabemos. Apenas criamos uma nova organização mental, através de *insights* e significados.

É por isso que, quando um novo conhecimento contraria o que já tínhamos consagrado em nossa mente, apresentamos uma imensa resistência para aceitá-lo, quanto mais incorporá-lo. Seu Félix, por exemplo, era experiente, tinha mais de duas décadas na fábrica sem nenhum acidente que comprometesse sua saúde ou o resultado do seu trabalho. Para que, agora, essas novidades do engenheiro Silas? Para que mudar tudo o que estava dando certo até agora?

Em um mundo quase atordoado com tantas novidades, com uma imensa quantidade de pesquisas, novas tecnologias e produtos, abordagens inéditas em todas as áreas do conhecimento e todas as profissões, a capacidade de desaprender passou a ser tão importante quanto a de aprender.

Desaprender não significa esquecer, nem ignorar o conhecimento anterior. Até porque é justamente o velho que pode alavancar a aprendizagem do novo. Não estamos partindo do zero, portanto.

O que precisamos ter é uma qualidade que as crianças têm de sobra: a curiosidade. E precisamos nos livrar de outra que as crianças não têm nem um pouquinho: o preconceito.

Crianças são naturalmente curiosas pelo simples motivo de que estão descobrindo um mundo até então desconhecido. Tudo é novidade, afinal de contas. Infelizmente, este mundo não está preparado para conviver com os curiosos, pois eles incomodam. Pais, professores, chefes, todos acabam, não por dolo, mas por absoluta incapacidade ou tempo para responder a tudo, inibindo a curiosidade infantil, que termina por atrofiar e encolher-se a um canto do cérebro, onde também mora a futilidade.

Por isso, um curioso é, frequentemente, confundido com um leviano infantilizado. Mas, cuidado, não estou falando aqui da curiosidade de saber com quem está saindo aquela colega do escritório, por que o marido da vizinha perdeu o emprego, ou com quem ficará a mocinha no final da novela. A que interessa é a curiosidade intelectual. Ser curioso, nesse sentido, significa manter aberto o canal da aprendizagem. No mundo atual, superconectado e hiperinformado, esse canal será uberdemandado.

E sobre o preconceito, entenda-se que ele não é apenas a dificuldade em aceitar o diferente, mas também a resistência a aprender o novo. Um preconceito é um conceito prévio, anterior, que, por estar há mais tempo alojado em algum canto do cérebro da pessoa, vale-se dessa usucapião para impedir a entrada de um novo inquilino. Não dá para imaginar um inimigo mais poderoso do aprendizado e da evolução do que o apego férreo a conceitos anteriores, por melhores que tenham sido até agora.

Sobre tudo isso, Fernando Pessoa, sempre genial, através de seu heterônimo Alberto Caeiro, disse certa vez: "Não é bastante não ser cego para ver as árvores e as flores. Para ver as árvores e as flores é preciso também não ter filosofia nenhuma. Procuro despir-me do que aprendi, procuro esquecer-me do modo de lembrar que me ensinaram, e raspar a tinta com que me pintaram os sentidos. Procuro desencaixotar as minhas emoções verdadeiras, desembrulhar-me e ser eu... O essencial é saber ver. Mas isso (triste de nós que trazemos a alma vestida), isso exige um estudo profundo, uma aprendizagem de desaprender...".

O importante, segundo o poeta, é manter a alma nua. Não colocar nela nenhuma roupa, principalmente se ela tiver grife, e de maneira nenhuma, um uniforme. Uma alma nua é aquela desprovida de etiquetas e carimbos, disposta apenas a vestir fantasias coloridas, que alegram e podem ser substituídas de acordo com a festa. A alma nua de Fernando Pessoa fez com que ele produzisse uma obra sem limites, através da qual falou de amor, de paz, de história de Portugal, de política, da vida e da morte.

As crianças, pode-se ver, não têm vergonha de sua nudez. Nem do corpo, nem da alma. Por que temos nós, adultos, a dificuldade de admitir nossa ignorância, e expor nossa necessidade em aprender o novo?

A veste que veste a alma do homem que acha que sabe tudo, tem a etiqueta da arrogância. Mal se dá conta ele, que ela já saiu de moda. O Félix, pelo menos, admitiu que ainda não sabia como não fazer o que sempre fizera. Com isso, rasgou a etiqueta.

20

capricho

Um trabalho mal feito é aquele que vem antes do retrabalho.

— Tudo o que merece ser feito, merece ser bem feito!

Eu levei um tempo para entender a frase acima. Os cérebros infantis, como o meu naquela época, em que eu ainda nem tinha barba, mas já me achava um homem feito, demoram um pouco para entender algumas afirmações. Na verdade, a dificuldade não está em entender o que foi dito, mas por que foi dito, uma vez que parece óbvio ou improcedente.

um novo olhar

Eu estava em meu primeiro emprego. Na verdade, era estagiário de um escritório de projetos, enquanto cursava o ensino médio. Minha preocupação na ocasião era sobre que faculdade cursar, e oscilava entre medicina e engenharia. Sentia-me atraído pelo humanismo da medicina, na mesma intensidade que gostava da exatidão dos cálculos. Entre as duas opções havia ainda a arquitetura, que abria espaço para a criatividade, e tinha muito mais a ver, achava eu, com a possibilidade de levar felicidade às pessoas, através de projetos belos e funcionais.

Por isso o estágio, que se mostrou muito útil por ter me ensinado muito e, principalmente, por ter mostrado que minha relação com o desenho nunca seria fácil, por um único motivo: eu não tinha habilidade suficiente. Até hoje não consigo desenhar um retângulo razoável, quanto mais uma casa inteira. Numa época em que os desenhos todos eram feitos em pranchetas, com papel vegetal, esquadros, compassos, transferidores, lápis e borracha, antes de passar para o nanquim. Tempos heroicos aqueles, em que não havia *Autocads*, projetos em 3 dimensões, e todas as fantásticas facilidades que chegaram junto com os computadores.

E lá estava eu, dando acabamento ao projeto preliminar que o arquiteto apresentaria para o cliente em alguns dias. A mim cabia algo muito simples: pintar os diferentes ambientes na planta-baixa, com lápis de várias cores, criando uma apresentação melhor do que o simples lápis preto sobre o papel branco. Eu devia passar de um ambiente para outro, contíguo, usando a lógica do degradê, criando uma passagem suave de uma cor para outra. Nada de ir direto do vermelho para o azul por exemplo. Era preciso encontrar uma cor intermediária, uma composição harmônica, gradual, agradável, verdadeiramente bela. Algo como sair do vermelho para o laranja, depois para o rosa, antes de chegar ao amarelo, ao ouro, ao verde musgo, e assim por diante, antes de azular. Coisas da estética de uma época.

Não era um trabalho difícil, mas dependia, claro, de alguma paciência, uma boa dose de senso estético e, acima de tudo, de muito capricho. E foi nesse terceiro item que o jovem estagiário-cheio-de-planos-e-pressa, pisou na bola. No fundo, pensava eu, para que tanto cuidado com um projeto apenas preliminar? Certamente o cliente, e o próprio arquiteto, ainda rabiscariam em cima, fazendo mudanças, ou anotações. Tanto trabalho para apenas uma olhada rápida? Vou pintar rápido esta planta, pois tenho mais o que fazer...

A consequência foi a natural. Um trabalho mal feito é aquele que vem antes do retrabalho. Por ter feito mal feito, tive que fazer de novo, e agora bem feito, se quisesse manter o emprego. Bem feito!

Após entregar o segundo trabalho, agora satisfatório, ainda com uma dose de revolta nas entranhas, ainda tive que ouvir, do arquiteto Wilson, a preleção sobre a importância do capricho, o valor do empenho, o significado do comprometimento, o conceito da excelência, entre

um novo olhar

outros ensinamentos travestidos de reprimendas. Afinal, é esse o papel de um estágio. O aprendizado na prática. O contato com a hora da verdade da profissão. Como estagiário, eu não estava lá para aprender a desenhar, mas para aprender a ter capricho.

Passadas várias décadas, a frase do arquiteto continua reverberando nas paredes de minha caixa craniana. "Tudo o que merece ser feito, merece ser bem feito". Aquilo que não merecer ser bem feito, não precisa ser feito. Ninguém vai sentir falta, acredite. Se fizer, faça bem feito.

O capricho é mais que um conceito. É um valor. É aquele "algo mais" que diferencia o comum do especial, que faz com que um serviço seja considerado medíocre, se comparado a outro. O capricho é o que agrega valor, que faz com que um produto possa ser vendido um pouco mais caro, e que seja cobiçado. O capricho do padeiro é a causa da fila na padaria. O capricho do marceneiro é o que lota sua agenda. O capricho do cozinheiro é o que gera a espera no restaurante. Pessoas caprichosas são joias raras, desejadas, garimpadas, admiradas, respeitadas.

Muitos anos depois, já trabalhando com educação corporativa, me defronto mais uma vez com a questão do capricho. A principal causa de demissão, descubro, não é a incapacidade para fazer um trabalho. É a indisposição para fazê-lo bem feito.

Chama-se de "subdesempenho satisfatório", um comportamento recorrente, muito comum em todos os lugares. É o desempenho de um trabalhador, em qualquer área, que se contenta em satisfazer as condições mínimas para não ser descartado. Sabe aquele funcionário que busca apenas não receber uma queixa do cliente ou uma bronca do chefe? Ele não está interessado no elogio, só não quer a crítica. Não está visando a promoção, só não quer perder o emprego. Como o garoto que quer apenas passar de ano e, para tanto, média 6 é suficiente. Para que estudar para tirar nota máxima? Afinal de contas, pode-se passar apenas com a nota média...

Eu não quero um atendimento nota 6. Chega de mediocridade. Quero nota 10. Estou cansado dos desatenciosos, dos desleixados, dos medíocres. Quero nota 10 no táxi, nas calçadas, no restaurante, na repartição pública, no médico, em casa, na política, nas relações humanas. Não é difícil, acredite. Dá o mesmo trabalho, e muito, muito mais satisfação. Para ambos os lados.

O capricho é um valor, mas é mais do que isso. É uma virtude. Uma qualidade que diferencia e que eleva a condição do humano. Pessoas caprichosas são, definitivamente, necessárias. São elas que inspiram outras, que promovem o crescimento, o bem-estar. A verdadeira essência das pessoas não é, ou não deveria ser, como os animais, que se contentam com o mínimo necessário à sobrevivência física. O homem inventou a ciência, a arte e a filosofia para viver melhor, para dar uma pista da razão da existência, e para tornar esta mais suportável.

Caro arquiteto Wilson, não nos vemos desde então, e acredito que nem nos lembremos um do outro, caso um dia nos encontremos. Mas você fez a diferença em minha vida, para sempre. Nunca mais consegui fazer algo que merecesse ser feito, sem que bem feito o fizesse. E se aconteceu, ouvi sua mensagem, que está em meu arquivo pessoal, irremovível.

Grato pelo capricho de sua bronca!

21

ops, derrubei a torta!

"Oba, olha o que eu acabei de criar!"

Se você trabalha no mercado financeiro, opera na bolsa de valores, ou dirige um fundo de investimentos, está cansado do stress da rotina de oscilações do mercado, da instabilidade da economia e da influência perversa da política, e está pensando em largar tudo e fazer algo mais tranquilo, como abrir um restaurante, ou apenas virar cozinheiro – afinal, cozinhar é uma grande paixão sua –, esqueça!

um novo olhar

Se a ideia é fugir do stress, você não poderia estar indo para um lugar menos apropriado. A cozinha de um restaurante costuma ser um lugar tenso nos dias cheios e, nos bons restaurantes, todos os dias são cheios. O *chef* recebe o pedido do salão, pendura em um pequeno quadro de fácil visualização, ao mesmo tempo em que grita a ordem para os responsáveis por cada prato. O que segue é uma coreografia que deve ser perfeita, em que cada um sabe de sua responsabilidade, e a integração tem que ser total.

A cozinha é o lugar onde mora o "ponto". Aquela combinação milimétrica entre calor e tempo, algo que a maioria das receitas omite, e que só pode ser aprendido na prática, depois de muito errar, produzindo carnes secas, ovos pochés duros e massas desmanchadas. Tudo obra da maldade do ponto... Além disso, o molho da carne não pode ficar pronto, nem antes, nem depois, da própria carne atingir o ponto perfeito. O suflê não pode desandar, o velouté tem que ter a densidade exata. É como comprar na baixa e vender na alta. É preciso estar atento.

Foi em uma dessas cozinhas, ditas perfeitas, com uma estrela na porta e a segunda quase chegando, que o jovem *chef* Massimo Bottura trabalhava, com uma equipe também jovem, mas já experiente. A cidade era Modena, para onde ele tinha voltado depois de uma ótima experiência em Nova Yorque. Como ele mesmo diz, Modena é a cidade dos carros velozes e da comida lenta – *fast cars and slow food!* Foi lá que nasceu a Ferrari e a Maserati, dois ícones da perfeição sobre rodas. Foi também onde nasceu Pavarotti e seu inigualável alcance vocal. É lá que se produz o melhor queijo grana. E é lá que está uma das melhores gastronomias italianas, onde o clássico e o moderno se encontram em uma harmonia inesperada, cujo sabor confunde e encanta até os mais exigentes críticos.

Massimo tinha contratado um *sous chef* japonês, que estava ali em um evidente esforço de aprimoramento. Quando voltasse para Tokio, Takahiko Kondo seria considerado um mestre, e não lhe faltariam convites de restaurantes da badalada gastronomia internacional que se pratica no oriente. Trabalhar em uma cozinha italiana tem o valor de um PhD. E lá estava Taka, com seu talento pessoal, acompanhado da paciência e determinação samurais, sempre atencioso e silencioso.

Foi em uma noite de sábado, que o acidente aconteceu. A casa estava cheia e, talvez, um crítico Michelin estivesse no salão, disfarçado de cliente comum, como é do costume do famoso guia. Nunca se soube se ele estava mesmo lá, mas a verdade é que hoje a Osteria Francescana já ostenta três estrelas em sua porta.

Um dos segredos da boa cozinha, além da qualidade dos ingredientes, dos temperos e do talento dos que nela trabalham, é sua organização. Nada pode faltar, e nada pode sobrar. A quantidade de produtos disponíveis é calculada pela demanda provável e é importante calcular bem, pois, se faltar, vexame; se sobrar, prejuízo.

A noite estava encerrando e tudo tinha corrido bem até então. O alívio já começava a mostrar sua face, quando a última mesa fez o último pedido: duas fatias de torta de limão. Depois, dois expressos perfeitos, quem sabe um limoncello e pronto, mais um expediente seria encerrado *comme il faut.*

Takahiko, já cansado, abriu a porta da geladeira das sobremesas e, com alívio, viu as duas últimas fatias de torta, esperando para serem saboreadas ao som de *huumms* de prazer. Ao retirar as tortas, entretanto, o inesperado se fez presente. Uma fatia foi cuidadosamente colocada sobre o prato de sobremesa, mas a segunda, misteriosamente, caiu das mãos habitualmente firmes do samurai, ficando uma metade no prato e a outra espalhada sobre a bancada de trabalho.

— *"Oops! Mi è caduta la crostata al limone"* – "Ops! Derrubei a torta de limão".

O que se seguiu foi um silêncio de fim de batalha. Todos olharam para o japonês desastrado e, em seguida para Massimo, o *chef* italiano. Poder-se-ia ouvir uma mosquinha voando, se houvesse um desses dípteros em uma cozinha imaculadamente limpa. Todos esperavam uma bronca, impropérios contra a desatenção, o desleixo. Mas esse não é o estilo do *chef* Massimo. Tudo o que ele disse foi: *"Dire di nuovo, Taka"* – "Diga de novo, Taka".

O japonês, que depois contou que naquele momento tinha pensado que, por um erro equivalente, um ancestral seu teria cometido harakiri, repetiu que tinha, simplesmente, derrubado a torta, falando, agora, em inglês: *"I dropped the lemon tart, chef"*.

"Pois vamos reconstruir a partir do que temos!", disse o *chef* italiano, conhecido por manter na cozinha um clima ameno e cordial, ao contrário de muitos dos colegas famosos, que acham que gritar pela cozinha, destratar os funcionários e jogar panelas no chão fazem parte obrigatória da liturgia. O que se viu a seguir, foi uma fabulosa combinação de liderança, resiliência e criatividade.

Para o encanto de todos que assistiram à cena, o *chef* Massimo rapidamente criou um novo prato, uma nova sobremesa a partir daquele desastre. Começou espalhando zabaione de limão sobre um prato, criando uma sensação de algo derramado por acaso. A torta quebrada foi colocada sobre essa superfície, como se tivesse sido quebrada de propósito. A torta que estava inteira foi quebrada também e remontada, com uma precisão artística que encanta os olhos, antes de ser comida. A nova sobremesa ficou belíssima!

"Naquele momento criamos uma nova sobremesa" – disse Massimo depois. A sobremesa aparece hoje no cardápio da Osteria Francescana com seu nome original: *"Oops! I dropped the lemon tart"*. Para Takahiko, ficou o ensinamento de que devemos aprender com os erros, acreditar na reconstrução, e usar a criatividade para produzir algo ainda melhor.

Na cozinha, como na vida, valem a competência, a dedicação e o talento, mas também a resiliência, a criatividade e o empenho. Em qualquer situação, e em qualquer fase da vida, depois do "Ops, deixei cair!", pode vir o "Oba, olha o que eu acabei de criar!".

22

mantendo a calma

O afetivo e o intelectual são faces de uma mesma moeda, que gira permanentemente e, vez ou outra, deita-se em um dos lados.

O Campeonato Mundial Júnior de Atletismo é um evento desportivo que funciona como uma espécie de triagem para novos atletas olímpicos. Só podem participar jovens que completam 18 anos até dia 31 de dezembro do ano da competição, que acontece a cada dois anos desde que, em 1986, foi realizada a primeira edição em Atenas. O evento não

um novo olhar

tem a dimensão de uma Olimpíada, até porque é restrito a provas de atletismo, como a corrida em várias distâncias, saltos, arremessos e lançamentos, mas tem lá suas emoções.

O de 2012 foi realizado em Barcelona, cidade que havia sediado os jogos olímpicos 20 anos antes. Atualmente, a capital da Catalunha é uma das cidades mais belas e aprazíveis da Europa e do mundo, e as Olimpíadas têm alguma coisa a ver com isso, como esperamos que aconteça com o Rio. Além disso, foi lá que Dali, Miró e Gaudi deixaram marcas indeléveis da genialidade humana. A cidade que recebe os visitantes com a simpatia catalã passeando sem pressa pelas ramblas e servindo o melhor da comida mediterrânea, tem um encanto só seu, inesquecível.

Mas, caro leitor, não se engane. Este artigo não é sobre esporte, muito menos sobre turismo. É sobre o ser humano, como de hábito. Mais precisamente, sobre um detalhe instigante de seu comportamento. Estou me referindo à maneira como as pessoas lidam com seus momentos de dificuldade, gravidade ou tensão. Lembra de situações assim em sua vida? Pois é, sabemos que a reação é muito particular e muito variada nessas ocasiões, e muitos estudiosos já gastaram fosfato para entender o que acontece em nossa cabeça quando o "bicho pega".

Acontece que naquele *meeting* de atletismo houve um momento que chamou, e ainda chama, a atenção de muita gente (veja na Internet), e que tem a ver com esse assunto. Uma prova feminina de 200 metros com barreiras ganhou destaque especial, por um fato, digamos, inspirador, além de belo.

Nos instantes que precedem a prova, a tensão é grande, lógico. Na largada, as atletas estão, como sempre, concentradas, tensas e fazendo movimentos musculares, rápidos, que têm a finalidade de aquecer e relaxar os músculos, além de acalmar os nervos. Pequenos saltos, balançar de braços, elevar e abaixar de ombros, giros de cabeça. Você já viu vários atletas fazendo isso. E todos estão, quase sempre, estampando no rosto uma expressão séria e tensa. Afinal, a responsabilidade é grande. Meses, às vezes anos, de treino serão testados naquela prova que, a depender da modalidade, não dura mais do que alguns segundos.

Só que uma atleta australiana se destacava entre as demais. Sua expressão era diferente. O semblante da bela Michelle Jenneke era de tranquilidade e alegria, como se estivesse em uma festa, e não em uma prova mundial de atletismo. E não só a expressão facial, também a corporal. Seus movimentos de aquecimento lembravam uma dança, que alguns "acusaram" de ser sensual, bem diferente do ritmo cadenciado e compenetrado dos atletas que se alongam e se preparam para competir.

Michelle parecia ouvir uma música alegre que embalava seus movimentos, e lhe fazia mexer as mãos de modo gracioso e os quadris ao estilo de uma passista de samba. Quando a prova finalmente começou, ela apenas

um novo olhar

parou de sorrir, mas seu semblante não foi substituído por nada que lembrasse tensão ou dor. Ela correu alegre.

O episódio da corredora australiana reacendeu a discussão. Qual o componente psicológico que faz com que algumas pessoas, no olho de um furacão, mantenham a calma, enquanto outros se desesperam? Será que esta é uma característica genética, própria, ou é algo que pode ser desenvolvido, treinado? A discussão prossegue, mas em um ponto todos coincidem: o de que é melhor manter a calma, pois o nervosismo embaralha as ideias e atrapalha as decisões. Quanto a isso não há dúvida.

Há quem diga que é uma questão de maturidade, algo que se conquista com a idade. Talvez. O poema *If* ("Se"), do inglês Rudyard Kipling, joga com essa possibilidade: "Se és capaz de manter a calma, quando todo mundo ao redor já a perdeu e te culpa. De crer em ti, quando estão todos duvidando e para esses, no entanto, achar uma desculpa... – és um homem, meu filho!".

O inglês dizia entender do assunto, pois conheceu tanto a luz, quanto a escuridão em sua vida. Nascido na Índia, foi feliz até os sete anos, quando foi mandado para a Inglaterra estudar, como era costume na época, e lá teve que amadurecer rápido para poder sobreviver emocionalmente, em um ambiente frio e distante de suas origens, apesar da língua lhe ser familiar.

Em sua biografia Kipling conta que conheceu a crueldade pelas mãos da Sra. Holloway, sua preceptora, justamente aquela que deveria protegê-lo. Lidar com a adversidade sem perder a fleuma foi sua arma e, segundo conta, isso ajudou a revelar sua veia poética e literária. Seu *O Livro da Selva*, que conta as aventuras de Mowgli, o menino criado por lobos, tem alguma coisa a ver com sua própria história.

Falando em livros, no final dos anos 1990, um livro de psicologia foi best-seller por muitos meses. Trata-se do *Inteligência Emocional*, do pesquisador de Harvard, Daniel Goleman. Nele, o psicólogo explica que todos temos em nossa cabeça, a chamada amígdala cortical, uma espécie de componente ancestral, anterior ao córtex, que é a parte pensante do cérebro. Sua função seria a de interpretar o perigo e desencadear uma ação imediata de defesa. Até hoje, nós, seres evoluídos, ainda sofremos a influência de nossa amígdala cerebral. Diante do perigo queremos fugir, ou lutar. Só que, em nosso caso, o pensamento interfere e propõe uma nova análise. Afinal, dificilmente estaremos em perigo de vida. Já não vivemos na selva cheia de perigos.

Esse embate entre as reações instintivas e emocionais, e o cérebro pensante, é a grande questão explorada pelo livro. Ter inteligência emocional seria obter o equilíbrio entre os componentes cerebrais, diferentes em sua função e em sua idade evolutiva, porém todos essenciais à vida. Sabemos que a amígdala é importante também à vida afetiva das pessoas, mas, quando não integrada, provoca descontrole, fúria, explosões emocionais muitas vezes fatais.

Pessoas que tiveram suas amígdalas retiradas cirurgicamente passaram a ser calmas e passivas, mas perderam totalmente o interesse pelas outras pessoas e por uma vida afetiva. A anulação, portanto, não é o caminho. O ideal é o equilíbrio. E a busca do equilíbrio depende de aprendizado e de experiência. A vida afetiva e a vida intelectual são faces de uma mesma moeda que gira permanentemente e, vez ou outra, deita-se em um dos lados, alternando-se de modo equitativo. Nada mais normal, pois qualquer tendência exagerada, como em um determinado vício, infelicita a pessoa em si e aqueles com quem ela convive.

Quem não teve momentos em que o equilíbrio foi testado? Se você, como eu, viaja bastante, sofreu na pele os efeitos daquele apagão aéreo, ou pelo menos lembra das notícias. Uma paralização dos controladores de voo transformou uma simples viagem doméstica em uma aventura de proporções épicas, e serviu para alertar as autoridades sobre a fragilidade do sistema. Para o país, prejuízo, para as pessoas, nervosismo, impaciência, desespero.

Aquele foi um período em que o equilíbrio emocional dos brasileiros foi posto à prova, e houve de tudo. Presenciei cada cena... Em uma ocasião, em que não só o voo estava atrasado há horas, mas não havia nenhum tipo de informação disponível, vi executivos indignados, famílias desesperadas, homens e mulheres gesticulando e gritando para um funcionário que havia virado um totem, ele mesmo totalmente impotente. Quando a situação parecia sair totalmente do controle, uma senhora elegante, de aparência frágil levantou-se, tomou a frente, virada para o grupo, de costas para o funcionário, e começou a falar, mantendo um sorriso nos lábios.

Vi a cena de longe. Não escutei o que ela disse. Mas o que se seguiu foi impressionante, pois as pessoas baixaram o tom, algumas balançavam a cabeça em sinal de concordância, e a bomba de uma possível violência foi sendo desarmada. Quando perguntei a um homem sobre o que havia acontecido, ele disse algo como: "Aquela senhora colocou juízo na cabeça das pessoas".

De fato, a gritaria era inócua. Jamais alcançaria quem de fato poderia resolver a questão. Indignação não significa perda da razão. Ao contrário. Se você pensar um pouco, vai lembrar de muitas situações em que venceu o bom senso. E também de outras em que o nervosismo bloqueou a solução.

Não há nenhum tipo de problema, de situação desagradável, ou difícil, que possa ser resolvido por outro caminho que não o da razão, que é filha legítima da serenidade. Ponto para Goleman, para Kipling e para a senhora elegante do aeroporto. E ponto para Machado de Assis, que dizia que o oposto da razão não é a emoção. Esta é complementar. O oposto da razão é a sandice, dizia ele. E inaugurou o romance psicológico.

A propósito, a australiana Michelle Jenneke venceu a prova. Com facilidade.

23

falar é bom, fazer é melhor

Heróis do cotidiano são os que criam o fluxo positivo, o movimento que impede o mundo de estagnar na apatia e na indiferença.

— E você, tá fazendo o que a respeito disso?

Adorei ouvir essa pergunta. Ela foi feita por meu amigo João para um sujeito, que vou chamar de Carlos, em uma roda animada de um final de tarde de sexta-feira. Já se disse que uma mesa de bar é um território

um novo olhar

livre, um lugar quase sagrado, em que as inibições são dissolvidas no álcool, as opiniões são declaradas sem medo, as ideias são discutidas com fervor, os sonhos são expostos sem pudor e, no final, tudo termina no penúltimo chope.

Além disso, uma mesa de bar deve respeitar a premissa da alegria, da descontração, do *fair play*. Nada mais chato do que a presença de alguns tipos, entre eles os "donos da verdade" e os "de mal com a vida". E o problema é que, muitas vezes não há como evitá-los e, pior, esses dois entes, com frequência, habitam o mesmo corpo. O tal Carlos era uma dessas almas penadas.

Ele fez sua análise sociológico-econômico-política de nosso tempo usando vocábulos enfáticos, como incompetência, sem-vergonhice, corrupção, violência, descaso; apimentados por adjetivos grandiloquentes, tais como: irrecuperável, destrutivo, atrasado, imensurável e, pasme, apocalíptico! Quando alguém esboçava uma opinião contrária, ele dizia: "Você não sabe o que fala", e se alguém concordava, ele complementava: "É pior do que você pensa". Eu não sabia se pedia mais um chope, se ia embora ou me suicidava com a faca de cortar queijo.

Ok, os assuntos de nosso tempo merecem, sim, discussão, tomada de posição, elaboração de propostas. Outro tipo a ser evitado é o alienado que parece viver em outro planeta, alheio a tudo. O problema não é o assunto. O problema é a forma. Era evidente que o comensal em questão tinha como objetivo apenas regurgitar revolta, e não acender alguma luz. Foi quando o João, calmamente, fez a pergunta que abre este texto.

O que se seguiu foi relativamente cômico, pois o relato do "o que ele fazia a respeito" não convenceu ninguém, nem a ele mesmo. Aliás, acabou resumindo, seu papel não era fazer nada mesmo, era apenas denunciar. E já estava fazendo muito. Não, meu caro, você não está fazendo nada, além de tornar desagradável a mesa do bar, que existe para ser feliz. Longe de mim achar que não devemos encarar as mazelas de nosso tempo de frente, com a cara limpa e o olhar atento. Só acho que poderíamos, quem sabe, reclamar um pouco menos e fazer um pouco mais.

Mas, fazer o que, se não temos poder de polícia, nem somos legisladores, juízes, autoridades? Fazer o que está ao nosso alcance, ora! O planeta, o país, a cidade, esses espaços cheios de problemas, poderiam ser divididos em áreas de influência, em pequenos territórios em que cada um de nós pudesse agir como um capitão da mudança, do cuidado e da civilidade. Podemos mudar o melhorar pela atitude e pelo exemplo. Pode parecer ingênuo, mas não há outro caminho. A denúncia é necessária, mas a atitude é imprescindível. Tudo começa pela disposição em assumir uma parcela da responsabilidade.

No início do texto me referi a personagens inspirados em duas pessoas. O João real também se chama João. João Cordeiro. Ele acaba de lançar um livro

um novo olhar

(Editora Évora) que gostei muito, e recomendo. O título é em inglês: *Accountability*. Por que ele não traduziu? Simples: porque essa palavra não tem tradução literal. O mais próximo seria responsabilidade, mas, para isso, há a palavra *responsability*. *Accountability* é mais que *responsability*. Em resumo, ser responsável significa assumir responsabilidade já; ser *accountable* significa procurar a responsabilidade a assumir.

O livro tem um tom corporativo, dirigido aos profissionais, jovens executivos, líderes de equipe, mas a aplicação do conceito é universal. Pessoas *accountables* são bem-vindas nas empresas, nas escolas, na rua, em casa. Mitos gregos, parábolas bíblicas, pesquisas psicológicas, *cases* empresariais e até o Homer Simpson ilustram a obra. Aliás, a frase deste último abre um capítulo: "A culpa é minha e eu ponho em quem eu quiser!".

O personagem criado pelo americano Matt Groening é o Macunaíma moderno e, apesar de simpático, representa o que há de pior em termos de civilidade. Nunca a culpa é dele e nunca será dele a atitude positiva. É um exemplo bem acabado de "desculpability". Os portadores dessa síndrome são os que mais usam expressões como "Alguém precisa fazer alguma coisa", "Isso não é comigo", "Só fiz o que me mandaram", "Eu não sabia", "Esse problema não é meu", "Já deu meu horário", e por aí vai.

O livro deixa claro que a atitude *accountable* pode ser aprendida. Deveria, aliás, ser ensinada nas escolas, tem o mesmo valor do que aprender matemática para a construção de uma vida digna e bem-sucedida. Aliás, diz o texto, assumir responsabilidades não dá garantia de sucesso, mas não se conhece alguém bem-sucedido que não tenha assumido responsabilidades. É, dá pra pensar.

Enquanto escrevia este texto, a sincronicidade – aqueles acontecimentos coincidentes que têm relação apenas significativa, e não causal, e que foi tão explorada por Jung – se fez presente.

Primeiro, recebi um e-mail de meu amigo Zé Pescador, contando de sua luta contra o coral-sol, uma espécie de coral que está se proliferando rapidamente em nosso litoral, especialmente na Bahia e no Rio de Janeiro. Apesar de belo, é uma praga, pois destrói outras espécies de coral e coloca em risco todo o ecossistema. O coral-sol é nativo do Timor Leste, e veio para o Brasil aderido ao casco de plataformas de petróleo na década de 1980.

O Zé Pescador, que fundou há anos a Pró-Mar, uma ONG de educação ambiental na ilha de Itaparica, pode ser visto todos os dias mergulhando com um martelo e um cinzel para remover o máximo que possa do coral intruso, dando, assim, um alento de sobrevivência para os demais. Já vi o Zé reclamar da falta de recursos e das autoridades – agora mesmo, diz ele em seu e-mail, acaba de chegar mais uma plataforma de petróleo à baia de Todos os Santos, cheia dessa praga – mas nunca o vi derrotado.

um novo olhar

Zé Pescador dá ótimas palestras pelo Brasil sobre essa e outras iniciativas, suas e de outros não-acomodados. Em uma época em que o tema sustentabilidade entrou para o vocabulário das pessoas lúcidas e das empresas conscientes, ouvi-lo faz um bem tremendo. Com suas palavras o Zé aumenta a consciência da população e das autoridades, mas é com sua atitude que ele convence, comove e cria seguidores. Hoje, outras pessoas o ajudam. Se eles pararem, a fauna que resiste desde a chegada de Cabral, estará seriamente ameaçada.

A segunda coincidência deu-se quando recebi uma revista com um encarte sobre Curitiba, em comemoração aos 321 anos de minha cidade de origem, de onde saí há tanto tempo, mas que ainda ocupa espaço importante em meu afeto. Uma das seções tem o sugestivo título de *Curitibanos nota 10*, e se refere a pessoas que têm "atitudes transformadoras". A capital do Paraná é conhecida por suas soluções urbanísticas, iniciadas na década de 1970 pelo então jovem prefeito Jayme Lerner, cujas ideias só prosperaram porque contaram com a participação dos cidadãos. Se não de todos, pelo menos da maioria, os que separam lixo, preservam o patrimônio público, respeitam as filas. Os curitibanos nota 10.

Um dos textos conta a história do engenheiro Napoleão Chiamulera que começa seus domingos semeando mudas pela cidade. Já plantou mais de mil árvores, sendo a metade de araucárias, o pinheiro paranaense, e as demais de espécies frutíferas. Carrega-se de mudas no

Instituto Ambiental do Paraná, planeja os locais, prepara o solo e deixa sua marca ao longo da ciclovia do bairro do Hugo Lange que, aliás, ganhou esse nome em homenagem a um médico da região, conhecido por suas ações comunitárias.

Pensei muito no engenheiro curitibano hoje de manhã, quando pedalei na ciclovia da Marginal Pinheiros, uma boa obra da prefeitura de São Paulo, mas que, além de boa seria bela, se tivesse uma mata ciliar exuberante em toda sua extensão. Mas, será que a responsabilidade é só da prefeitura? E nós, que somos os usuários e verdadeiros donos desse espaço? E você, Carlos? E eu, estou fazendo o que, além do que pagam para fazer?

Não quero ser injusto. Comentei duas atitudes transformadoras, mas há outras. Há milhares de homens e mulheres espalhados pelo Brasil e pelo mundo dando bons exemplos, às vezes seguidos, às vezes apreciados, às vezes ignorados. Ainda bem. São eles que criam o fluxo positivo, um movimento que impede o mundo de estagnar na apatia e na indiferença. Heróis do cotidiano. Os mais necessários.

24

a esquina de babel

Ter um padrão era o padrão. Era bom ser igual. Olhando aquele tempo a partir de uma luneta do mundo atual, dá pra dizer: "Êta, tempinho chato".

Foram só cinco minutos, mas a espera na esquina da padaria me fez entender o significado da Babel. Ou melhor, fez me sentir na própria. A torre de Babel é mencionada no texto bíblico de Gênesis, segundo o qual, os descendentes de Noé resolveram construir uma torre alta o suficiente para lhes permitir chegar ao Céu. Jeová, irado com tal audácia, fez com que os homens que a construíam passassem a falar de maneiras diferentes. A confusão criada pela impossibilidade de comunicação abortou o projeto e deu origem a todas as línguas hoje faladas na Terra.

Passei os cinco minutos esperando a Lu comprar pãezinhos para o lanche da noite de sábado, cuidando da Preta e da Branca, nossas duas cachorras sapecas que não são bem-vindas na padaria. Foi o tempo suficiente para viajar à babilônica localidade.

Tudo começou quando um festival de luzes solicitou minha atenção para um carro que passava, uma limusine preta com uns sete metros. Esses estranhos veículos tipicamente nova-iorquinos ganham por aqui um ar de exagero de gosto duvidoso porque não são, como lá, figuras corriqueiras, adaptadas à paisagem. E também porque as nossas não são de fábrica, são adaptações de carros comuns, utilitários alongados em oficinas artesanais. Parecia mais uma nave espacial em missão de reconhecimento.

Mas, logo minha atenção foi desviada do longo disco voador para um pequeno grupo de ETs que passavam ao meu lado. O susto foi grande, pois eram umas doze crianças fantasiadas de tudo, de bombeiro a índio americano, da fadinha ao ET propriamente dito, com direito ao dedo luminoso e tudo. E ainda por cima elas estavam sendo conduzidas por um casal de abelhas gigantes, com antenas e camisetas listradas. Um susto compreensível para quem só estava esperando pão para o lanche.

O mundo só voltou a ser confiável depois que eu me lembrei que se tratava da festa do Purim, o carnaval judaico que festeja a vitória dos judeus na Babilônia (olha ela de novo). Na época, o rei Assuero, ao não poder revogar a lei que permitia a perseguição aos judeus, decretou outra – influenciado pela mulher Esther – dando a eles o direito de se defenderem. É que o Assuero também governava por Medidas Provisórias. A moda é antiga.

Quando cruzaram a rua em direção à festa, os pequenos fantasiados acabaram envolvendo, por alguns instantes, um missionário evangélico que entoava desafinado uma canção que dizia algo como "sem Jesus não dá..." e distribuía folhetos convidando os passantes para um culto onde, provavelmente, seria encontrada a única salvação possível para o fim próximo. Os judeuzinhos alegres fizeram coro a Jesus até serem repreendidos pela abelha rainha que, certamente, depois iria explicar que aquele era um judeu que não era admirado pelos demais.

Foi quando os *punks* apareceram. Eram uns vinte, entre rapazes e moças, a maioria muito magros, lembrando um Ramone legítimo. Vestidos com roupas negras, ostentavam tatuagens e piercings à vontade e falavam alto, quase gritando e rindo de qualquer asneira que diziam. Aliás, passavam a impressão de que era só o que falavam. Fiquei apreensivo com o conflito que poderia surgir com o solitário salvador do mundo que distribuía panfletos contra o demônio, mas, pasme, passaram por ele sem notar sua presença, tão envolvidos na troca de impropérios que faziam entre si. Foi quando alguém falou comigo.

— É *shih-tzu* ou *lhasa*? – perguntou uma mulher que segurava um imenso e simpático *golden retriever* junto ao corpo.

— Hein? – foi tudo o que consegui dizer, pois demorei para pousar no planeta Terra.

— Seu cachorro é *shih-tzu* ou *lhasa apso*? Nunca sei a diferença entre os dois – explicou a dona do *golden*, que esperava o marido que também fora comprar pãezinhos.

— Ah, é *shih-tzu*. O *lhasa* tem o focinho maior – respondi, voltando a este planeta.

Fui salvo por alguém da minha tribo. Daquela tribo em que um cuida do cachorro na esquina, enquanto o outro compra pãezinhos para o lanche de sábado à noite. Fiquei agradecido.

Então olhei para a porta da padaria, em direção à qual minhas amigas peludas insistiam em ir. Sorrindo vinha minha mulher italiana, com os pãezinhos franceses, comprados na padaria do português. Estamos em São Paulo, a torre de Babel que, se não chegou ao céu, pelo menos ainda não foi destruída pela ira divina.

Essa experiência me deixou pensando na fantástica diversidade da fauna humana, no fato de que todos temos tendência a nos juntarmos àqueles que se parecem conosco, e à importância de uma qualidade humana que deveria ser comum e universal: a tolerância com a diferença.

Vivemos em uma era marcada pelas diferenças ou, pelo menos, em um tempo em que as diferenças são mais evidentes, estão mais expostas e a maioria das pessoas tem consciência delas. Lembro de uma época em que as pessoas me pareciam iguais, ou muito parecidas. Quando garoto, nos anos 60 e 70, estudei em colégio de padres e me espantava quando conhecia alguém que dizia não ser católico. Tive um colega que dizia que seus pais não acreditavam em Deus. Virou curiosidade, quase um alienígena.

O normal era que as pessoas fossem católicas e que se vestissem obedecendo aos padrões da decência, sem exagerar nas cores, muito menos nos decotes. Esperava-se, na Curitiba daqueles tempos, que as pessoas estudassem pelo menos até o colegial, que tivessem um emprego, que passassem as férias em alguma praia paranaense, no máximo catarinense.

Entre os garotos, as diferenças maiores estavam por conta do colégio que estudavam, ou do clube que frequentavam. Ter um padrão era o padrão. Era bom ser igual. Olhando aquele tempo a partir de uma luneta do mundo atual, dá para dizer: "Êta, tempinho chato". De fato, a previsibilidade e a mesmice não são exatamente motivos de excitação.

Pois, se a diferença e o inusitado são estimulantes, dá para dizer que vivemos em um mundo carregado de estímulos. Nos dias atuais, ser diferente é que é bacana, ainda que muitos não percebam a riqueza que isso traz, e prefiram apenas a segurança da igualdade.

um novo olhar

O que mais espanta, atualmente, é que, ao lado da beleza da diferença, caminha o fantasma da intolerância. Dentro desse imenso cadinho de tipos humanos, que se diferenciam pelos hábitos, pelas escolhas e pelas crenças, existem aqueles que se orgulham de ser como são – e isso só é possível porque há aqueles que não são assim – e odeiam quem assim não é. Este é o grande paradoxo da diferença.

Lembro de ter ido assistir a uma partida de futebol e observar um grupo de torcedores próximos ao alambrado que os separava da torcida rival. Não creio que eles tivessem assistido ao jogo. Não viram os gols nem os lances empolgantes. Perderam até a oportunidade de xingar o juiz. Na verdade, estava ocupados xingando uns aos outros e marcando briga para depois do jogo – "Te pego lá fora!".

Como assim? Meu time só existe porque existe outro contra quem jogar, e este outro só se sustenta porque tem uma torcida própria. Talvez o futebol seja a ponta desse iceberg, a parte que dá pra ver fácil. Mas há o corpo principal, que está submerso, escondido, incrustrado na trama social.

Aqueles bichinhos bem pequeninos, os protozoários, seres cujo corpo inteiro é formado por apenas uma célula, têm algo a dizer sobre esse assunto. Entre eles, há um muito exuberante, chamado Paramécio, que habita água doce e tem a superfície coberta de cílios que se movem como se fossem hastes de trigo ao vento. Trata-se de um ser que não tem mais do que 200 micrômetros de comprimento, ou 0,2 do milímetro, e só pode ser visto através do microscópio.

Esse pequeno ser, como tantos outros, se reproduzem de uma maneira muito simples: quando crescem acima de determinado tamanho, simplesmente se dividem em dois. É a chamada "reprodução assexuada", que não depende da produção de gametas (óvulo e espermatozoide), muito menos de um ato sexual. Trata-se de um fenômeno de extrema autonomia reprodutiva dos bichinhos. Mas esse sistema tem um defeito: cada descendente é absolutamente igual ao anterior. Para usar uma expressão da biologia, não há "recombinação genética", e isso, com o tempo, provoca a degeneração da espécie.

Precisamente por isso, o esperto Paramécio, de tempos em tempos, muda o esquema e pratica um ato de "reprodução sexuada", produzindo uns gametinhas e trocando com outro da mesma espécie. O curioso é que esse fenômeno só tem essa finalidade: trocar material genético. No final do ato, os dois bichinhos continuam sendo dois, essa reprodução não aumenta o número, apenas provoca a troca genética. O protozoário "sabe" que precisa do outro, diferente dele, para evoluir. Se não houver troca genética haverá degeneração. Isso explica que a teoria da raça pura, que levou (e leva) a genocídios, não é só vil, é também idiota.

Eu vejo nesse fenômeno natural uma imensa lição: a troca favorece. Ficar encapsulado em uma cultura

um novo olhar

única, abster-se de olhar o outro, de tentar entender o diferente, negando o valor do semelhante que não é tão semelhante assim, empobrece, emburrece, diminui.

Felizmente as esquinas de Babel se reproduzem em todas as esquinas. Estão nas cidades, nos bairros, nos estádios, nas escolas, nas empresas. E é bom de se estar nelas. Do francês temos a expressão *vive la différence*, que foi adotada como símbolo da aceitação e até apreciação da diversidade. Inteligentes palavras. Viva a diferença porque ela gera vida. A troca do material genético cultural, através da aceitação, da apreciação e do respeito é um bom caminho para o aprimoramento.

25

um homem elegante

O "Não se fazem mais homens assim" ficou reverberado em meu cérebro por muito tempo. E me dei conta que eu mesmo queria ser "um homem assim".

Estávamos no espaço agradável e estimulante de uma grande livraria. Acontecia o lançamento do livro de um grande amigo e eu aguardava na fila de autógrafos, bebericando uma taça de vinho branco, folheando a obra e, claro, observando o ambiente. Trata-se do tipo de evento em que fatos

um novo olhar

interessantes acontecem, principalmente em função da diversidade de pessoas que lá estão.

Perto de mim, três mulheres bem vestidas, usando joias discretas mas evidentemente valiosas, conversavam animadamente em um tom adequado ao local. Estavam muito à vontade, entretanto uma delas tentava equilibrar nas mãos o livro já devidamente autografado, a bolsa, o celular e a taça de vinho vazia, portanto inútil. O malabarismo que ela fazia não deixava de ser engraçado.

Eu apenas observava a cena, a certa distância, preso pelo lugar na fila. Foi quando um senhor de certa idade que se retirava após já ter abraçado o autor, passou por elas, parou um instante e disse:

— Com licença. Estou indo deixar minha taça no balcão. Posso ajudá-la a livrar-se da sua, já que está vazia? – e sorriu com naturalidade.

No primeiro momento as três mulheres olharam com surpresa aquele desconhecido que trajava um paletó antigo, ligeiramente puído, calças de sarja folgadas e sapatos confortáveis, parecendo um professor universitário de Ciências Sociais com dedicação exclusiva. Na sequência, a malabarista iluminou o rosto com um sorriso, entregou a taça ao cavalheiro e agradeceu com sinceridade. Ele a apanhou e se retirou discretamente, fazendo um ligeiro maneio com a cabeça. As três o acompanharam com o olhar por um instante, até que uma comentou:

— Que homem elegante. Não se fazem mais homens assim.

Elegante, disse ela? Olhei de novo para o professor. Poderia se dizer muita coisa sobre sua figura: tradicional, antiga, clássica, confortável, humilde, casual, até simplória; menos elegante. Foi quando me dei conta do óbvio: ela estava se referindo ao comportamento dele, não à sua indumentária. Como sou estúpido, pensei... De repente, meu blazer sob medida, ficou sobrando em meu corpo. O "Não se fazem mais homens assim" ficou reverberado em meu cérebro muito tempo. E me dei conta que eu queria ser "um homem assim".

Eu sei, a roupa faz parte da composição da elegância. Porém, estar elegantemente vestido tem mais a ver com adequação, do que com sofisticação. Aquele senhor usava roupas simples, mas adequadas ao lançamento de um livro de crônicas, evento social que não pede nem gravatas, nem longos. Aliás, inadequado seria estar vestido como se estivesse indo a uma festa black-tie. Além de brega. E o que valia mesmo era seu comportamento de cavalheiro.

Quando eu era garoto havia na TV um programa inspirado nos conselhos do Marcelino de Carvalho, o jornalista e escritor que foi o pioneiro nos temas de etiqueta e comportamento social. Seu *Guia de Boas Maneiras* é um clássico, obrigatório para os jovens das famílias que acreditavam que as boas maneiras eram pré-requisito para as boas carreiras e para os bons casamentos (a jornalista Cláudia Matarazzo lançou uma versão atualizada, o *Marcelino por Cláudia*, que vale cada letra impressa).

um novo olhar

O esquete era genial, com atores interpretando uma situação em que a etiqueta era o foco e, após a cena, um narrador em *off* comentava o acontecido e dava a interpretação adequada, segundo o mestre.

Lembro de um episódio em que, em uma reunião social na casa de amigos, chega um casal vestido de maneira excessivamente informal, com bermudas e camisetas, e foi criticado pelo alter ego do programa. Na sequência chega outro casal, agora exageradamente arrumado: ele de smoking, ela de longo, e foi também repreendido pela voz. Eis, então, que chega o terceiro casal, vestido de modo adequado, trajando roupa social leve, *comme il faut*, e recebeu por isso, rasgados elogios da voz da consciência de plantão.

Só que este casal comete a gafe de se jactar do fato, enaltecendo suas qualidades e desfazendo dos demais e recebe, então, a dura reprimenda por estar sendo arrogante e indelicado com os que, por ignorância ou desinformação, já estavam se sentindo mal o suficiente.

Então é assim – aprendi com o mestre Marcelino – vista-se adequadamente e comporte-se convenientemente. Este é o caminho mais seguro para que você seja apreciado, respeitado e convidado de novo.

Há gente que não tem "senso de noção", como diz minha filha, brincando. Você já sentou ao lado de um sujeito de regata no avião? Ou ao lado de um casal no cinema, que fazia sua versão particular do *9½ Semanas de Amor?* Já se irritou com a mesa ao lado no restaurante, onde parecia haver uma festa particular? Eu já. Tudo isso e mais um pouco. Como é importante entender o local onde se está.

É óbvio que um coquetel em uma galeria de arte é diferente de um churrasco na chácara do melhor amigo. Para cada ambiente há uma etiqueta relativa, apropriada àquele lugar, mas em todos os ambientes, deve-se respeitar a etiqueta absoluta, universal.

Como assim? Veja bem, posso ir de bermuda e tênis ao churrasco, mas devo me apresentar mais formal ao coquetel. Isso é etiqueta relativa. Entretanto, em nenhum dos dois lugares tenho o direito de ser inconveniente às demais pessoas, e em ambos cabem pequenos gestos de gentileza. Etiqueta absoluta. Simples assim.

Dia destes meu voo estava atrasado e eu fui gastar o tempo na sala VIP de um cartão de crédito. Pelo menos lá há mais conforto e alguns mimos como: café, sucos, jornais. Sala VIP... Vamos lembrar: VIP significa *Very Important People*, então pressupõe-se que lá estarão pessoas de bom nível cultural e educação refinada. Pois bem, um dos VIPs que lá estavam, andava pela sala vociferando em seu telefone celular, dizendo alguns impropérios para seu interlocutor sobre assuntos pendentes em sua empresa, vários decibéis acima. Deu vontade de ligar para PSIU da Prefeitura. O constrangimento era geral. VIP? Talvez: *Very Inconveninet Person*.

Posição social, cultura geral, estudo universitário são condições excelentes que colaboram para o desenvolvimento de uma sociedade civilizada, boa de se viver.

um novo olhar

Infelizmente, nem sempre são garantia de gentileza, cavalheirismo ou elegância. Cruzando de balsa entre Salvador e a ilha de Itaparica, vi um cavalheiro de chinelos e pele curtida de pescador ceder seu banco para uma dama. Precisamos de mais atitudes como a do pescador e do professor, e menos como a do *Very Important*. É dessa matéria que é feita a civilização.

Nunca me esqueço de um hotel em que estava hospedado, em uma cidade na Suíça, próximo a uma estação de esqui. Esperava o elevador junto com minha mulher, quando chegou um homem com seu filho de aproximadamente cinco anos, ambos falando em francês. Quando o elevador chegou, o pequeno rapidamente entrou e foi, então, repreendido por seu pai, que o fez sair e permitir que entrássemos primeiro. Durante a curta viagem vertical, o garoto perguntou por que, e ouviu de seu pai: *"vous êtes pressé, mais ne peut pas oublier la politesse"* – algo como "não é porque você está com pressa que vai esquecer de ser educado", e depois ficou repetindo *"la politesse est très important"*. Esse pai está criando um cavalheiro.

Elegância não é frescura, nem afetação. Elegância é sinal de inteligência e educação. Preste atenção como há pessoas que são naturalmente elegantes, demonstrando, em cada gesto, a preocupação com o bem estar do outro. Você já percebeu como as mulheres valorizam o homem que lhe dá passagem, que dá a volta no carro só para abrir a porta, que manda flores no dia seguinte ao do primeiro encontro?

Acho incrível como alguns homens dizem que tudo isso é frescura, que não há mais espaço para tais gentilezas em um mundo em que as mulheres estão no mercado de trabalho competindo com os homens em igualdade de condições. As mulheres querem ser iguais – dizem – por isso não valorizam mais serem tratadas com gentileza masculina. E cuidado para não ser confundido com assédio – complementam.

Ops! É hora de colocar os pingos nos is. Elegância não é assédio, não é paquera, nem sequer galanteio. Corre em raia paralela. Para começo de conversa, quem é elegante mesmo, nem sequer faz distinção de gênero. Homens elegantes são elegantes entre si. Ser elegante é ser discreto, nem sequer se fazer notar, jamais ocupar muito espaço. O importante não é aparecer, o importante é se fazer distinguir.

Elegância é usar, com frequência, as três palavras mágicas da civilidade: *com licença, desculpe, obrigado*. É incrível como elas têm o poder de desarmar os espíritos e facilitar as relações. Isso é civilizado. E, como diz Gloria Kalil, que entende do assunto: "Ninguém é chique, se não for civilizado".

ncia
26

uma experiência sensual

A sensualidade é a matéria-prima do poeta, e há quem o seja sem nunca ter escrito um verso.

Saí da Universidade Federal Fluminense (RJ) após uma palestra com um objetivo: visitar o Museu de Arte Contemporânea de Niterói. "Nada mais fácil" – disse meu gentil anfitrião.

E lá fomos nós em direção ao Mirante da Boa Viagem, aproveitando a maravilhosa visão que se tem da

um novo olhar

orla, que hoje é chamada de Caminho Niemeyer. Estamos na boca da Baía da Guanabara, uma posição privilegiada voltada para a cidade do Rio de Janeiro, que se exibe faceira com seu relevo fantástico, em que o Pão de Açúcar é a peça de resistência. Aviões mergulham em direção ao mar encontrando o aeroporto Santos Dumont.

E eis que, de repente, surge à nossa frente aquela obra futurista, um imprevisível disco de concreto que parece flutuar sobre o promontório como se estivesse se preparando para decolar em direção a seu planeta de origem: o incrível cérebro criativo de Oscar Niemeyer. Seu acervo é formado por arte do século XX e o prédio é, sem dúvida, sua obra mais vistosa. Consta que o arquiteto percebeu que aquela paisagem pedia um prédio assim, e ele o viu imediatamente. Bastou acrescentar uma rampa e o projeto estava pronto.

Se pudéssemos definir o MAC-Nit, como é carinhosamente chamado, poderíamos utilizar vários adjetivos, como futurista, surpreendente, arrojado e, sem dúvida, poderíamos conceder a ele a qualidade de ser sensual, uma marca persistente na obra do arquiteto centenário que o projetou. Sobre seu estilo, disse Niemeyer: "Não é o ângulo reto que me atrai, nem a linha reta, dura, inflexível, criada pelo homem. O que me atrai é a curva livre e sensual, a curva que encontro nas montanhas do meu país, no curso sinuoso dos seus rios, nas ondas do mar, no corpo da mulher preferida. De curvas é feito todo o universo, o universo curvo de Einstein".

Quando o arquiteto define sua obra como sensual, ele quer dizer que deseja que ela agrade aos sentidos, que a beleza das curvas é, naturalmente, mais confortável à observação humana, que o belo atrai, conforta e enleva a alma. A sensualidade da forma é necessária. A obra que parece ter saído de um sonho nos ajuda a viver, pois precisamos do sonho para enfrentar a realidade.

Não devemos, então, classificar de sensual algo que não tem uma conotação sexual? O concreto curvo de Niemeyer nos inspira a pensar e a ousar. A sensualidade que ele denota é o que buscamos para completar nossa capacidade de criar e de crescer. Sensualidade é vida, mas não necessariamente sexo. Entretanto, quando ouvimos falar em sensualidade, a maioria de nós pensa em sexo, acreditando ser um, sinônimo do outro. Não é correto, ainda que haja alguma verdade nesse pensamento, pois a sensualidade certamente pode ser considerada como um ingrediente essencial para uma experiência sexual mais rica. No entanto, enquanto sensualidade parece ser parte essencial do sexo bom, a sexualidade não representa a única esfera da expressão sensual. Sensualidade é muito mais abrangente. Ela começa com a consciência e abarca todos os nossos sentidos.

Ter um *approach* mais sensual nos leva a ter uma vida mais satisfatória e plena. Se você conseguir canalizar adequadamente seu estado mental, poderá tornar qualquer experiência em uma experiência sensual. Comer um chocolate, apreciar uma refeição, meditar ou observar a

um novo olhar

sua própria respiração, ou a de alguém. Dançar, sentir o cheiro de flores, olhar para o rosto da pessoa amada. Qualquer coisa! A sensualidade envolve o uso dos sentidos, mas vai além, pois, quando você traz a experiência para o nível da consciência e da intuição, aquele momento transcende a sensação. Sensualidade é uma forma de permitir que a paixão e a reverência entrem em sua vida – uma vida que passa a ser mais gratificante e apreciada, até mesmo nos momentos mais difíceis. O escritor americano James A. Baldwin disse que "ser sensual é respeitar e exultar a força da vida, da vida por si só, e estar presente em tudo o que se faz, desde o esforço do amor, até a feitura do pão". E ele tinha razão, a sensualidade representa e enaltece a força da vida em todas as suas dimensões. Há poemas sensuais, músicas sensuais, sorrisos, flores, e animais sensuais.

Enquanto sensualidade é a qualidade de agradar aos sentidos, sedução poderia ser definida como a capacidade de atrair, encantar, fascinar o outro com o intuito de alcançar determinados objetivos. Visto desta forma, a sedução faz parte das relações de todos os tipos. Não é só o garoto que deseja seduzir a menina por quem ele está encantado. As pessoas em geral, todos nós, sem exceção, buscamos seduzir nossos interlocutores para que haja melhoria na convivência e na qualidade de vida.

Da mesma forma, quando produzimos algo, buscamos seduzir. A propaganda utiliza-se da sedução para induzir ao consumo. Os poetas e escritores querem seduzir os seus leitores para que estes não queiram largar seus livros. Os arquitetos, como o "rei das curvas" Niemeyer, buscam projetar prédios que tragam específicas sensações e transformem-se em objetos de desejo.

Nas ciências sociais, sedução é o processo de incitar, deliberadamente, uma pessoa para atraí-la. A palavra sedução vem do latim e literalmente significa "afastar alguém dos seus votos, da sua lealdade". Assim, concluímos que o termo possui uma conotação positiva, mas pode ter outra, negativa. Quando vista pelo aspecto negativo, a sedução envolve tentação, normalmente de natureza sexual, para desviar alguém a uma escolha de comportamento que ela não teria, não fosse tal estado de evocação sexual. Já vista pelo lado positivo, a sedução é sinônimo para o ato de encantar alguém através do apelo aos sentidos, com o objetivo de reduzir medos infundados. A moralidade da sedução depende dos impactos que a mesma apresenta sobre os indivíduos envolvidos em longo prazo, e não no ato por si só. A sedução é um assunto recorrente na história e na ficção, como alerta para as consequências sociais que o comportamento de seduzir e ser seduzido apresenta, pois se trata de uma poderosa habilidade.

Na Bíblia, Eva seduziu Adão oferecendo-lhe o fruto proibido. Eva, por sua vez, fora seduzida verbalmente pela serpente, reconhecida pela cristandade como o demônio. As sereias, na mitologia grega, encantavam os marinheiros e os levavam para a morte. Cleópatra cativou Júlio César e Marco Antônio. A rainha persa Scheherazade se livrou da morte ao contar histórias sensuais. Sem esquecer o lendário libertino Don Juan, cuja história foi contada por diversos autores.

Sim, a sedução é uma alavanca poderosa que usa a sensualidade como seu forte ponto de apoio. Essa alavanca não é boa, nem má. Depende apenas de que objeto está sendo deslocado por ela.

Mas, cuidado com a linha que separa o sensual, do vulgar. Essa linha existe, e é tênue. Com frequência é ultrapassada e, quando acontece, a mistura desanda totalmente. A vulgaridade é a tentativa de transformar a sensualidade no sujeito e não no predicativo.

Com frequência associada à imagem feminina, a sensualidade passou a ser explorada como um objeto que pode ter valor comercial. Não creio, sinceramente, que haja muitas distorções de valor maiores do que essa. O vulgar ofende, agride, enfeia. O vulgar não é belo, é desprovido de sensualidade.

A mulher moderna é sensual. Tem sido vista como aquela que conduz sua vida dentro dos parâmetros da estética maior, que tem a sensualidade como uma aliada. A sensual não se expõe, não se oferece, apenas é. A mulher moderna não está esperando ser salva por um príncipe encantado; dispensa, com certo desprezo, o complexo de Cinderela. A sensualidade da mulher moderna está em sua postura, não nos pedaços expostos de seu corpo; está na convicção sobre seu direito à integridade, ao respeito, à oportunidade. Há sensualidade na firmeza de uma mulher, porque, diferente da atitude masculina, ela é suave, não ofende. Há o sensual, o sexual e o vulgar. Podem habitar o mesmo continente, mas são separados por barreiras geográficas bem demarcadas. A vulgaridade é burra, a sexualidade é necessária, a sensualidade é divina. Não confundir esses territórios faz com que nossos caminhos sejam trilhados com mais segurança e com muito mais alegria.

Sensualidade é saúde, movimento suave, olhar plácido, sorriso sincero, palavra bem colocada. É o senso de beleza precisa, sem artifício, sem exagero, com cuidado, atenção. A sensualidade é a matéria-prima do poeta, e há quem o seja sem nunca ter escrito um verso. Sim, pois ser poeta na vida é ter apreciado a beleza do amor, é ter cantado o canto da paixão, é ter explorado o caminho sensual de uma relação sobre a qual se pode dizer que foi inteira.

27

um drinque em nova iorque

As relações de causalidade existem e são inexoráveis. Causalidade é uma relação entre dois eventos separados por um intervalo de tempo, que pode ser medido por segundos, ou por séculos.

Nova Iorque, definitivamente, figura entre meus lugares preferidos. Não tem a elegância arquitetônica de Paris, nem o *sex appeal* de São Francisco, muito menos a beleza natural do Rio de

Janeiro. Suas calçadas são lotadas de gente que anda rápido, ignorando os demais, e o lixo que aguarda ser recolhido. Não é uma cidade que se notabiliza pela limpeza. Há paredes pichadas, os carros buzinam, as sirenes são estridentes, os garçons e vendedores não são necessariamente simpáticos e você pode ser roubado pelo motorista do táxi, que é um sujeito que está nesse trabalho só até ser chamado para o elenco do próximo sucesso da Broadway. Mas é Nova Iorque, e pronto. A cidade que tem uma energia que não pode ser encontrada em nenhum outro lugar do mundo.

Além disso, tem as pessoas. Ali moram alguns dos tipos mais interessantes com quem já tive a oportunidade de interagir, às vezes de maneira fortuita, quase um esbarrão. Um desses casos foi um jovem magro de cabelos encaracolados. Amigo de amigos, Malcolm me foi apresentado como sendo colunista da revista *The New Yorker*. Era um final de tarde de uma sexta-feira do mês de maio, e a primavera no hemisfério norte deixa as pessoas mais alegres e falantes.

Uma excitação toma conta dos ambientes quando o final de semana se aproxima e, com ele, os shows nos incontáveis teatros da Broadway e, melhor, da Off-Broadway, que são aquelas casas originalmente consideradas "periféricas". Estão fora do perímetro compreendido entre as ruas 40 e 54, e entre a sexta e a oitava avenidas – chamado Broadway Box, o que inclui a Time Square e boa parte da própria "enviesada" Broadway Avenue.

Atualmente, a denominação Off-Broadway tem menos a ver com a localização do teatro, e mais com seu tamanho e com o custo de suas produções e dos ingressos. E foi justamente em um bar próximo ao Laura Pels Theatre, na West 44th Street, enquanto aguardava a sessão das 19h30min, ou 7:30 PM, como os americanos preferem, que acabei tomando um coquetel feito com uísque, vermute doce e gotas de Angostura, inventado na ilha, e por isso mesmo apelidado de Manhattan, com o jornalista de cabelos encaracolados e com os amigos em comum.

Ele estava em evidência por um artigo que havia publicado recentemente. *The New Yorker* é uma revista semanal fundada em 1925 e que se transformou em um patrimônio cultural de Nova Iorque. Dedicada, originalmente, a temas ligados à cultura e arte, com foco na cidade, transformou-se em um veículo abrangente de crítica com penetração que superou os limites da cidade, do país e do próprio continente. Seus colunistas gozam de prestígio, e alguns deles se tornaram mundialmente famosos por seus artigos, livros ou intervenções artísticas, como Truman Capote, Hannah Arendt, Elizabeth Bishop e Woody Allen. Malcolm Gladwell ainda não estava nessa lista, mas pediria licença para entrar nela após a publicação de seus livros, alguns anos depois daquele encontro. O primeiro deles teria o mesmo nome do tal artigo: *The Tipping Point,* que no Brasil foi publicado em 2009 com o título *O Ponto da Virada*.

O artigo, publicado em 1996, era sobre a queda

um novo olhar

das taxas de violência nos bairros pobres de Nova Iorque, que tinha um novo comissário de polícia chamado William J. Bratton, a quem se atribuía a mudança tão bem-vinda em uma cidade considerada violenta. Até aí, nada de novo. Um texto a mais sobre o tema. Só que o jovem colunista lançava um novo olhar sobre o fenômeno: a ciência social das epidemias.

Segundo suas observações, alguns fenômenos parecem mudanças repentinas, instantâneas, mas na verdade são resultado de um processo lento, que começou muito antes, e que foi se avolumando até ser, finalmente, percebido. A esse momento da percepção, quando a relevância do fato atinge uma proporção que o transforma em uma mudança real, o jovem colunista chamou de *Tipping Point*, o *Ponto da Virada*. Conversamos sobre isso.

— Então, em sua opinião não há mudanças instantâneas, tudo o que acontece de novo tem um longo período de incubação, como os vírus? – perguntei, curioso.

— Bem, não vou dizer que não haja mudanças repentinas, teria que pesquisar mais para responder. O que eu disse é que, em sua maioria, as mudanças só parecem ser súbitas, mas já estavam acontecendo, bem antes de se tornarem evidentes. É claro que estou me referindo a mudanças comportamentais, fenômenos sociais. Isso é o que me interessa.

— Você tem um exemplo disso?

— Veja o caso dos sapatos Hush Puppies. Tiveram um *Ponto da Virada* no início de 1995, quando saltaram de menos de 30.000 pares para mais de 400.00 vendidos. A empresa estava quase fechando e deu uma virada espetacular.

Ele não tinha como ter percebido, mas eu mesmo estava usando sapatos Hush Puppies, extremamente confortáveis, de camurça com solado de borracha leve. Ainda havia um furor sobre esses sapatos meio cafonas que de repente viraram *cult*. Quem viajava para os Estados Unidos naquela época quase sempre recebia uma encomenda de um amigo: "Trás um Hush Puppies pra mim?".

— Então, não foi um acontecimento súbito? Afinal aconteceu de repente, com data marcada. O que eles fizeram, uma campanha de publicidade agressiva?

— Esse é o ponto, meu caro. Não houve campanha publicitária, nem lançamento de um novo modelo, nada disso. O que aconteceu foi um fenômeno viral que não se sabe exatamente quando começou. O fato é que alguns jovens descolados começaram a usá-los em festas, o que estimulou outros a procurarem a marca e, de repente, estava todo mundo usando. O hábito se alastrou como uma epidemia, sem que ninguém tivesse feito um ato proposital para começar. As mudanças comportamentais começam assim, quietas, até que explodem em algum canto. E quer saber? Da mesma maneira como virou moda, de repente vai deixar de ser.

Ponto da virada. Essa é a questão. Mudanças quase sempre são assim, começam devagar, vão se espalhando e, de repente, se tornam evidentes, muitas vezes

um novo olhar

irreversíveis. Mesmo quando alguém diz "A partir de segunda-feira vou mudar tudo, largar o cigarro, começar atividade física, cuidar da alimentação", e realmente o faz (o que é raro), na verdade já estava incubando essa ideia em seu interior, convencendo-se da necessidade e preparando-se para agir com relativa antecedência. Às vezes anos.

Mudanças instantâneas são relativamente raras. Todos falamos que o mundo mudou radicalmente naquela manhã do dia 11 de setembro de 2001. Verdade. Só que o que a maioria das pessoas não se dá conta, é que o infame atentado aos símbolos americanos, principalmente o World Trade Center, começou a ser gestado e preparado com cerca de dez anos de antecedência. E é justamente aí que se concentra a crítica ao governo americano e a seu aparato de segurança, que não se deu conta que o ovo da serpente estava sendo incubado.

Onde devemos concentrar nossa atenção? Ao dia da mudança ou à preparação dela, que começa bem antes? Quando será mais fácil corrigir os erros, na ação, ou no planejamento?

As relações de causalidade existem e são inexoráveis. Causalidade é uma relação entre dois eventos separados por um intervalo de tempo, que pode ser medido por segundos, ou por séculos: evento A e evento B. E é evidente que o B ocorreu em função do A. A percepção das relações de causalidade pode explicar muita coisa na vida das pessoas, das empresas, da política, da história das nações. Nosso presente é uma consequência de nosso passado, incluindo aí nossa responsabilidade pessoal.

Quem assistiu ao primeiro episódio do filme *A Era do Gelo*, com certeza lembra do simpático esquilo, que é uma figura paralela à trama. Ele não participa da história central, tem seus próprios interesses (acumular avelãs) e nunca interage com os demais personagens. Entretanto, já na primeira cena, ele dá um espetacular exemplo de como a ação de um indivíduo pode repercutir na vida dos outros, por mais improvável que isso possa parecer, a princípio.

Ao tentar enterrar uma avelã, o esquilo provoca, no solo gelado, uma fissura que se alastra rapidamente, sobe a encosta de uma montanha e termina por dividi-la ao meio, provocando o deslocamento de imensas massas de gelo, que quase o esmaga e modifica totalmente a paisagem. A cena tem a intenção de ser engraçada, e realmente é. Mas, também transmite uma mensagem: a repercussão dos atos. As relações de causalidade. Os pontos da virada e seus precursores.

Sempre é bom lançar um olhar sobre a repercussão de nossos atos, sobre a dimensão da responsabilidade dos que detêm o poder e sobre a indignação de quem vê destinos de pessoas, cuidadosamente planejados, serem atropelados pela interferência de outros. A cena do filme é apenas uma caricatura dessa realidade – uma ação com graves consequências.

O Nobel de Literatura, Gabriel Garcia Márquez, é

autor de um livro chamado *Crônica de Uma Morte Anunciada*. Na obra do genial colombiano, um jovem chamado Santiago Nasar é morto pelos irmãos de uma moça chamada Ângela Vicário, sob pretexto de que ele a havia desonrado, o que era mentira dela. O incógnito narrador da história anuncia que, se ela não fizer o desmentido, a tragédia se consumará, como de fato aconteceu. Ângela se omite, e Santiago morre.

Quantas tragédias, grandes e pequenas, tiveram seu anúncio tão escancarado, quanto ignorado? Você se surpreenderia com esse número.

Os especialistas de aviação dizem que o acidente com o Boeing no aeroporto de Congonhas, em São Paulo (o avião não conseguiu parar na pista, tentou arremeter, caiu do outro lado da rua e matou 299 pessoas, assustando o país), foi uma tragédia, mas não, necessariamente, uma surpresa. Não, se atentarmos para o número de acontecimentos, denúncias e omissões que meses antes anunciavam as causas que culminaram na tragédia. Os especialistas – e de repente apareceram muitos – insistiram em dizer que um acidente desse tamanho nunca tem uma causa única. Que se trata da soma de vários fatores que, em conjunto, se potencializam e terminam em tragédia. É uma boa estratégia para pulverizar a responsabilidade, punir levemente algumas pessoas e aguardar que o tempo exerça sua função de esquecimento.

Mas, vamos estudar mais a fundo essa questão. Faça você mesmo, leitor, uma análise de alguma coisa que deu errado em sua vida. Tente listar todas as causas envolvidas e eu garanto que você vai chegar à conclusão de que causas reais foram poucas, quando não, apenas uma. Essa causa é chamada de causa determinante.

Se houve outras, elas apenas permitiram que essa se manifestasse e, por isso, são chamadas de causas predisponentes. Só que, comumente, dá-se mais valor a essas, porque elas são muitas, em geral pequenas, e podem ser distribuídas entre vários protagonistas, desviando a atenção do foco central, do verdadeiro responsável. Causas determinantes são grandes e fortes, mas são criadas lentamente, por isso às vezes não são percebidas. E em geral são compensadas, por algum tempo, pelo controle das causas predisponentes. Quando algumas dessas escapam do controle, a bomba explode.

O que determina o infarto são: a genética, o colesterol e a pressão alta; o que predispõe são: o cigarro, o estresse e o sedentarismo. O que determina a falência de uma empresa são o passivo grande, o ativo pequeno e a impossibilidade matemática da reversão; o que predispõe são os erros de gestão, o desânimo e a perda de credibilidade.

De pouco adianta controlar a pressão alta e não parar de fumar. Da mesma forma, será desastrosa uma campanha publicitária para uma empresa em que o custo de produção é maior do que o de venda. De nada vai adiantar, também, culpar o médico pelo colapso do coração e o mercado pelo colapso da empresa.

um novo olhar

Aquele acidente horrível no aeroporto de Congonhas teve muitas causas predisponentes – a chuva, a falta do *grooving*, o peso do avião, o reverso desativado e tantas outras. Mas, onde estaria a causa determinante? Provavelmente em algum espaço governado pela imprevisão, pela irresponsabilidade e pela falta de percepção de que qualquer ação terá uma repercussão futura e que, o que é muito pior, qualquer omissão também.

No final, o número de inocentes será maior do que o de culpados. E provavelmente isso estará certo, pois os inocentes não interferem nos fatos, nem nos rumos. Quem poderia fazer isso são os poderosos, que costumam se esquecer que, sendo os inocentes impotentes, os poderosos deveriam ser poderosos porque são responsáveis.

Meu drinque em Nova Iorque me rendeu muitos pensamentos. O Malcolm Gladwell terminou por tornar-se um bem-sucedido autor de *best-sellers*. Transformou o artigo *The Tipping Point* em livro, e depois publicou *Blink*, *Outliers*, e outros sucessos, todos baseados em pesquisas que revelam conclusões surpreendentes. Em todos ele joga com a ideia da causa e efeito, fatores predisponentes e determinantes, causas internas e externas, e por aí segue. Assim como o drinque *Manhattan*, o jornalista autor de livros é um sucesso. Que, definitivamente, não ocorreu por acaso.

28

o *terroir* de cada um

**Quando alguém se muda, das duas uma:
ou se encontra no lugar que encontra,
ou volta às origens.**

Quando menino, eu costumava perguntar aos adultos qual seria o melhor lugar do mundo. Eu sempre achava que havia lugares melhores, mais ricos, justos, sofisticados e felizes. Era uma variante infantil da metáfora da grama do vizinho.

Ao conhecer uma pessoa que tinha viajado, principalmente para longe, grudava nela até saber como era

um novo olhar

aquele local distante e diferente. Ficava imaginando se seria melhor morar lá do que aqui e sonhava com a oportunidade de estudar fora, quem sabe trabalhar em outro país, de preferência numa daquelas cidades que também são símbolos de sonhos, como Nova Iorque ou Paris.

A roda da vida girou e eu tive a chance, fui conhecer o mundo. Visitei países, conheci cidades, estudei no exterior, fiz cursos e participei de congressos em vários lugares do planeta. Conheço todos os estados brasileiros e estive até em lugares quase improváveis, como a simpática Puerto Maldonado, no Peru, e o reconfortante oásis Ein Gedi, em Israel. Isso, sem falar que morei um tempo no Rio de Janeiro e em Florianópolis; nada mau para um curitibano que, aliás, há mais de uma década está radicado em São Paulo. A muitos desses lugares eu voltaria, a outros não, e ainda sinto aquela curiosidade inquieta da infância que, acredito, nunca irá desaparecer.

Quando me percebo pensando nisso, lembro-me de um professor que tive no colegial e que foi, para mim, um mentor do pensamento e da imaginação. Ele lecionava geografia e um dia, percebendo meu interesse, convidou-me a conhecer sua coleção de cartões-postais. Trouxe um pequeno baú ao colégio e, quando o abriu, deixou sair, como borboletas, milhares de cartões que recebia de todas as partes do mundo, de colegas com quem se correspondia.

Lembra dos cartões-postais que as pessoas mandavam quando viajavam, às vezes escrevendo algo como

"Estive em Fortaleza e lembrei de você"? Eram desses. Mas, para mim, aquela caixa de madeira era um atlas das belezas do planeta e uma enciclopédia da diversidade humana. Havia cartões com paisagens, outros que ilustravam a arquitetura local e ainda tinha aqueles que mostravam pessoas, como aborígenes australianos, loiras californianas e encapotados islandeses.

E, mais uma vez, repeti ao professor minha dúvida existencial sobre qual seria o melhor lugar do mundo. Lembro bem de sua resposta calma: "O melhor lugar do mundo é aquele que você sente que pertence a ele".

Demorei para entender, confesso, mas com o tempo foi caindo a ficha. Aquele professor não sabia, mas estava me dando a chance de pensar, muito tempo depois, que a missão de cada pessoa é deixar este mundo melhor e, com isso, transformar-se em uma pessoa melhor. Encontrar o melhor lugar para viver, ganhar a vida, criar filhos, evoluir, ser feliz, tem que ter a ver com essa missão. Isto significa pertencer a um lugar.

Se você se muda de cidade em busca de uma oportunidade de carreira, na verdade está falando da oportunidade de colaborar com esse local e de ser protegido por ele, como contrapartida. Está se referindo à chance de ali encontrar um emprego, prestar um serviço, abrir um negócio. Ou seja, exercer seu talento. O melhor lugar do mundo é onde você pode usar esse talento, seguir sua vocação, ter seu esforço reconhecido, seu valor apreciado.

Eu conheço pessoas felizes e realizadas em todos

um novo olhar

os lugares que, aliás, são os mesmos locais em que eu também encontrei pessoas insatisfeitas e amarguradas. Isso me deixa pensando que, antes de encontrar o melhor lugar do mundo, você deve encontrar-se a si mesmo, caso contrário, você sempre estará no lugar errado.

Em francês, terra é *terre*, solo é *sol* e terreno é *territoire*. Mas os franceses têm mais uma palavra relacionada: o *terroir*. Se você estiver com tempo, paciência e disposição para ouvir uma explicação que mistura linguística, história, geografia, ciência e filosofia, pergunte a um francês, de preferência um amante de vinhos (e qual não é?) o que, exatamente, é um *terroir*.

Já fiz essa experiência. Um me disse algo como: "*Terroir* é a terra viva, a biodinâmica em ação. É o encontro de todos os componentes do solo com todos os efeitos do clima. É onde os microrganismos agem com os compostos químicos potencializados pela temperatura e pela energia do sol, produzindo vida, cuja manifestação mais nobre é a videira". Então tá.

Outro foi além: "*Terroir* é o encontro sinérgico do solo com o clima e com o homem. O solo é a vida, o sol é a energia e o homem é guardião, sem o qual o terreno não seria um *terroir*, pois perderia a capacidade de produzir algo excepcional". Fico com a impressão de que a França inteira é um *terroir* que produz filósofos-poetas, muitas vezes mal-humorados, mas sempre encantadores.

Têm razão, meus amigos gauleses. *Terroir* costuma ser definido pelos especialistas como sendo um território onde a geografia, a geologia e o clima interagem favoravelmente com a genética de determinada variedade de planta, dando como resultado um produto de qualidade excepcional. Um *terroir* é sempre um terreno, mas um terreno nem sempre é um *terroir*.

Geralmente, referido à produção de vinhos, o conceito também se aplica a outros produtos agrícolas, como o café, o chá e o chocolate. O que é produzido em um *terroir* ganha o direito de ter uma Denominação de Origem Controlada, o que aumenta seu valor e, como consequência, seu preço. Sem esquecer, como disse meu amigo, a presença do guardião dessa dádiva: o homem.

Em geral muito pequenos, é na Borgonha que os lotes de videira exteriorizam melhor o espírito de um *terroir*. A Domaine de la Romanée-Conti, para ir logo ao melhor exemplo, é uma propriedade pequena, com menos de 2 hectares. Trata-se de um terreno com cem metros de frente e um pouco mais de fundos. Qualquer chácara de final de semana em São Paulo tem mais que isto, só que aquele terreninho produz um dos mais admirados e desejados vinhos do mundo. Não são mais do que 500 ou 600 garrafas produzidas por ano, o que aumenta seu valor pela raridade.

Os lotes vizinhos também produzem excelentes *grand crus*, mas só o *terroir* do Romanée-Conti tem aquele solo calcário, aquela drenagem e aquela inclinação que lhe dá a insolação absolutamente perfeita. Essa combinação única faz a fama daquele lugar desde o século XV.

um novo olhar

Só quem provou uma taça desse néctar, e se for dotado da sensibilidade necessária, pode entender o verdadeiro significado de um *terroir*.

Só que, como disse meu interlocutor francês, o homem é o guardião do *terroir*, e como tal, passa a fazer parte dele. Em geral são pessoas que, além do conhecimento e da dedicação, são dotadas de tamanha paixão, que faz com que misturem sua vida com a vida daquele local. Então um *terroir* é uma terra com paixão. Sem esse ingrediente, será apenas um terreno.

Há pessoas que parecem estar sempre no lugar errado. São as que ainda não encontraram o lugar a que pertencem ou as que simplesmente não entenderam nada. Quando, depois de anos, encontrei o Aldemir, meu amigo de juventude, morando na serra gaúcha feliz da vida, eu lhe perguntei porque havia se mudado, afastando-se da próspera construtora que possuía em Joinville, ele me disse com um sorriso: "Aqui encontrei o meu *terroir*", fazendo jogo com o fato de estar na região vinícola do sul.

Sua afirmação me levou a considerar que meu *terroir* é São Paulo, o lugar onde me senti mais útil na vida, que melhor me compreendeu e aceitou. Onde meu talento valeu. Quando estou fora, sinto falta de São Paulo, de seu agito e energia e até do trânsito e da poluição, que não canso de criticar, claro. É uma cidade explosiva, mas é meu lugar, e eu procuro colaborar com ele, melhorá-lo como posso.

A relação do homem com seu lugar é lendário. O sertanejo do nordeste resiste a sair do local seco e inóspito, assim como o sofrido beduíno saariano e o estressado executivo nova-iorquino. Quando alguém muda, das duas uma: ou se encontra no lugar que encontra, ou volta às origens.

O Ortega y Gasset sentenciou: "O homem é o homem e sua circunstância", e com isso quis dizer que ninguém é considerado independente do ambiente em que está inserido e sobre o qual exerce sua influência. Não importa se você é um empresário, médico, cozinheiro ou dona de casa, quem olha para você, olha ao mesmo tempo para o que você faz com o que está ao seu redor.

Outra visão interessante sobre o assunto vem da interação dos pensamentos de dois geólogos, o alemão Friedrich Ratzel e o francês Vidal de La Blache. Enquanto o primeiro disse, com justa razão, que "o homem é fruto do meio", o segundo rebateu, alegando que "o meio é fruto do homem", com igual precisão. É verdade, pois ao mesmo tempo em que recebemos toda a influência do ambiente, temos o poder de influenciá-lo e, dessa forma, modificá-lo.

O homem precisa encontrar seu *terroir*, mesmo que, como para o nômade, o *terroir* seja o caminho. O que não dá é para não pertencer, não interagir, não conviver e não melhorar. Se o lugar onde você está tem tudo isso, então tem poesia. E não é mais apenas um lugar. É seu *terroir*.

29

um lugar sagrado

A energia que precisamos para viver não vem apenas dos carboidratos, mas também de fontes existenciais.

Saímos de Londres no final da tarde, seguindo para o oeste, em um carro alugado. Dirigir na Inglaterra é fácil e difícil. É fácil porque as estradas são ótimas, a sinalização é competente e o trânsito é civilizado. E é difícil porque precisamos recondicionar os movimentos para dirigir do lado direito do carro e do lado esquerdo da estrada. Lá, o errado é o certo. O pior é trocar a marcha com a mão esquerda, já que praticamente não se encontram carros automáticos na terra da Rainha – acham esse conforto muito americano.

um novo olhar

A bordo, eu e meu filho Rodrigo, em nossa semana anual de colocar as coisas em ordem e a conversa em dia. A seu pedido, optamos por uma viagem *easy ride*, o que não significa viajar sem destino, e sim ir definindo o destino durante a própria viagem – explicou ele. Em cada etapa se planeja a etapa seguinte, e dessa maneira se pode ter a segurança da viagem programada e o excitante sabor da aventura. Ao anoitecer chegamos a Salisbury, uma pequena vila distante cerca de 80 milhas de Londres, onde havíamos reservado, pela Internet, um quarto para passar a noite no Grasmere House, um hotelzinho de duzentos anos.

No dia seguinte visitaríamos Stonehenge, um lugar considerado sagrado. Estávamos excitados com essa expedição, provavelmente por motivos diferentes. Para mim seria a oportunidade de vivenciar o mistério que cerca esse conjunto de pedras colocadas em círculo, há mais de quarenta séculos. Para o Rodrigo significava conhecer o lugar sagrado dos celtas. Os jovens gostam dos celtas e são atraídos por lugares sagrados. E de nada adiantava lembrar que Stonehenge é pelo menos dois mil anos mais antiga que a cultura celta. O que importa é a mística do local.

Acordamos cedo, tomamos o café da manhã inglês, composto por ovo frito, salsicha, bacon e feijão doce, servido por um simpático garçom húngaro e, rapidamente, estávamos na estrada com destino certo: o passado. Conversávamos animados sobre história, sobre a diversidade de culturas e sobre as surpresas da vida quando, como que do nada, lá estava, bem à nossa frente, o círculo de pedras mais famoso do mundo. Stonehenge fica à margem direita de uma estrada movimentada, e não há como não vê-la, imponente, irradiando sua energia milenar.

Finalmente, estávamos na mística Stonehenge, mas, claro, estávamos também na organizada Inglaterra, portanto, era necessário encontrar o local adequado para estacionar o carro, ler as recomendações e chegar ao circuito pelo qual pode-se caminhar contornando o monumento. Primeira lição de um lugar sagrado: ele deve ser respeitado.

Não sei se é possível explicar a sensação de estar em um lugar como esse. Você é naturalmente levado à contemplação. Quer ficar quieto, apenas observando aquelas pedras que são testemunhas de 45 séculos. O mundo evoluiu, fez arte, ciência, guerras, descobrimentos, enquanto as pedras simplesmente ficaram em seu lugar, repousando em seu nicho, como que querendo mostrar que há, sim, valores permanentes. Pode não ser fácil descrever um lugar sagrado, mas percebe-se claramente quando se está em um.

Observei as pessoas ao meu redor e verifiquei comportamentos de todos os tipos. Havia os que, nitidamente, realizavam contidas orações, alguns meditando isolados, e havia os deslumbrados, os japoneses fotografando, os aposentados passando tempo, alguns hippies tardios e até um druida moderno com cartazes anunciando a chegada

um novo olhar

de uma nova era. Locais sagrados são assim, atraem tribos diversas, todas em busca de algo – que pode ser paz, quietude, cultura, curiosidade ou até, quem sabe, sentido para a vida.

O sentimento do sagrado deriva do próprio local, ou do uso que se fez desse local? Os lugares considerados sagrados exercem uma influência sobre as pessoas, normalmente descrita como um sentimento de paz interior. Eu senti isso em Stonehenge, como já senti em outros locais que tive a oportunidade de conhecer. E nunca procurei – importante esclarecer – teorizar sobre a origem desse sentimento, pois isso poderia estragar a magia da experiência. Não importa o quanto aquele local tem de energia própria, ou quanto de programação psicológica eu estava providenciando para mim mesmo.

Lugares sagrados são aqueles que, de alguma forma, colocam o homem em uma dimensão diferente daquela em que ele trava sua luta diária de sobrevivência. É uma espécie de recarregador de baterias, considerando que a energia que precisamos para viver não vem apenas dos carboidratos, mas também de fontes existenciais. O Homem é o único ser que padece da lógica que o leva a questionar a razão de sua própria existência. Para que estamos aqui, afinal? Seríamos meros entrepostos de genes, destinados a participar do processo de sobrevivência de nossa espécie, e pronto? Não, ninguém gosta de aceitar essa premissa de natureza tão simples.

A consciência deu ao Homem duas missões: a de

se diferenciar na Natureza e a de justificar sua própria existência através de suas ações. Tarefa difícil, essa de ser gente. Não é nada fácil explicar para si mesmo o sentido da vida e dar conta do recado de não ser mero participante da cadeia alimentar, entre o vegetal produtor e a bactéria decompositora. Por isso, os locais sagrados são importantes, porque eles nos conectam com aquilo que gostamos de chamar de dimensão superior, divino, ou simplesmente de Deus. Na verdade, todos nós já temos essa dimensão divina no peito, mas sentimos que ela precisa ser plugada, de tempos em tempos, em uma tomada de energia divina externa a nós mesmos. Algo maior que o humano, que materializamos em forma de orações, cultos, ritos e locais sagrados.

Os templos e outros tipos de sítios sagrados são, na verdade, obras do homem, mas gostamos de atribuir às edificações uma ordem superior e ao local, algum fato transcendental. Todas as religiões observam os lugares de nascimento, de morte ou de pregação de seus profetas. Eles funcionam como portais para a dimensão superior que nos aguarda, e com a qual gostamos de nos conectar desde já, com a finalidade de orientar nossa vida terrena.

Portanto, locais sagrados são bons, úteis e necessários. Mesmo quem não curte a ideia da eternidade, não consegue se livrar da necessidade de paz interior. O que vai variar imensamente entre as pessoas é a qualidade desse local. Lugares sagrados são, comumente, relacionados a práticas religiosas, como igrejas e templos, mas

um novo olhar

essa ligação, ainda que comum, não é determinante, nem definitiva. Em outras palavras, locais religiosos são sempre sagrados, mas locais sagrados não precisam ser, necessariamente, religiosos.

Que religião se professa em Stonehenge? Ora, nem sabemos se sua primeira utilidade foi ser um local de cultos. Pode ter sido usado para realizar curas, estudos ou decisões políticas. A única coisa que sabemos é que se trata de um lugar que foi considerado especial ao longo de muito tempo. Pesquisas arqueológicas mostram que sua primeira edificação data de 3.100 anos a.C., e que teve muitas outras épocas de reforma, reconstrução e modificação.

E sabemos também que o nascer do sol no dia 21 de junho, o solstício de verão, cria, com a projeção da luz, uma avenida central no círculo de pedra. Essa observação dava ao homem a dimensão do tempo, lembrava a finitude da vida, marcava os ciclos de sua existência e o aproximava do divino. E, claro, poderia estar ligada apenas à marcação dos ciclos agrícolas. Transcendental ou pragmático, não importa, um local sagrado é sempre necessário.

Os templos são também obras de arte, em que a arquitetura, a escultura e a pintura estão presentes, às vezes em doses espetaculares (basta entrar em uma igreja medieval), ou locais onde se pratica a música, seja o canto gregoriano ou pop evangélico moderno. A arte precisa estar presente, por ser uma espécie de símbolo da possibilidade do Homem. O artista é o preposto de

Deus, tanto quanto o sacerdote. Mas, cuidado, pois há arte sagrada no cotidiano também, e só quem consegue perceber isso, muda o patamar de sua vida prática.

Nossos locais pessoais podem ser transformados em sagrados, e este foi o assunto que dominou a conversa com meu filho depois da visita a Stonehenge. Afinal – ponderamos – não é todo dia que se pode ir a um lugar como aquele para recarregar as baterias; então precisamos de outras fontes mais próximas. E elas existem, estão em nosso país, em nossa cidade, em nosso bairro. Aliás, os locais sagrados são principalmente aqueles que nós mesmos construímos e neles colocamos nossa melhor parte. Minha casa é um lugar sagrado, bem como meu trabalho, o parque onde passeio, a livraria que gosto de frequentar, a academia onde cuido da saúde. Locais sagrados são aqueles em que trabalhamos, estudamos, produzimos, conversamos, amamos. Se esses lugares não forem sagrados, dificilmente o serão os templos e os sítios históricos.

Sagrada é a vida que vale a pena, que não compactua com o destrutivo, que não se contenta com o mínimo, que busca o excelente, que distribui compaixão, afeto livre, amor verdadeiro. Lugar sagrado é o próprio corpo, que merece cuidado; é a mente, que precisa do conhecimento; é a emoção, que precisa do belo. Lugar sagrado é o espaço ao nosso redor, que conquistamos com nossa própria energia, e que será tão maior quanto for nossa intensidade de viver. E Stonehenge é sagrado, sim, porque me ajudou a perceber tudo isso.

30

o trem para paris

"Aí é que está a beleza das coisas. Elas não precisam ser necessariamente uma coisa ou outra. Podem ser uma coisa e outra."

Adoro trens. Para mim trem é o melhor tipo de transporte que existe. Trens são pontuais, espaçosos e você não precisa chegar com uma hora de antecedência para fazer check-in e despachar as malas. Basta saber de que plataforma sai a composição, verificar o número de seu vagão no bilhete, entrar, acomodar suas bagagens no compartimento próximo à porta, procurar seu lugar e daí pra frente é só curtir a viagem, sabendo com antecedência a hora da chegada e as paradas previstas. Pelo menos é assim na Europa.

Eu sei, eu sei. Eles têm trens desde o começo do século XIX. Foi lá que começou a Revolução Industrial, eles inventaram a máquina a vapor, o motor a diesel e deram um jeito de mover trens com ajuda da eletricidade. A Europa viaja sobre trilhos, e não é de hoje. Você pode ir de qualquer lugar para um lugar qualquer, cruzando fronteiras, campos, vilas, cidades, pontes, viadutos e túneis até por baixo do mar. Torço muito que algum dia tenhamos algo, minimamente parecido, aqui em nosso Brasil. Gosto da sensação de previsibilidade, conforto e segurança que os trens me passam. E, além disso, coleciono histórias das viagens de trens. Alguma coisa acontece comigo, pois sempre encontro alguém com quem acabo tendo uma boa conversa.

Certa vez, viajei de Lyon a Paris, aliás o primeiro trecho de estrada de ferro na França, com cerca de 500 km, e que atualmente o TGV percorre em menos de três horas, com tempo para – dependendo da hora – almoçar e tomar um bom vinho local. Eu tinha ido no dia anterior para encontrar amigos em um jantar, na atual capital gastronômica da França, e já estava voltando para continuar meu curso de francês em uma pequena escola particular no Marais. Meu lugar era em uma cabine que acomoda confortavelmente até seis pessoas, mas eu estava sozinho. Quer dizer, estava, até que o trem começou seu movimento silencioso e suave, quando então a porta de correr abriu subitamente e entrou um cavalheiro com sinais de que quase perdera a hora.

Ele me cumprimentou com a cabeça, tratou de acomodar uma pequena mala e seu sobretudo no bagageiro acima das cabeças, pegou um livro e sentou-se à minha frente, junto à janela. Estávamos separados pela pequena mesa que os passageiros usam para ler os jornais, digitar no computador, ou comer. Eu viajava de frente para o caminho e ele, de costas. Na primeira hora da viagem ambos nos concentramos em nossas leituras ou na paisagem, até que nossa atenção foi solicitada pelo funcionário da Rail Europe, que nos ofereceu a refeição – um filé ao ponto com purê de batatas e legumes cozidos, acompanhados por molho de pimentas verdes e uma garrafa pequena de um Bordeaux espetacular.

Ambos comemos olhando pela janela, sem demonstrar interesse um pelo outro. Éramos apenas dois estranhos compartilhando um espaço, temporariamente. Até que o vinho e um acontecimento fortuito quebraram o gelo, quando estávamos próximos a Bourg-en-Bresse. A zona rural da França mescla fazendas mecanizadas com vilas simpáticas e pequenas propriedades que alimentam, às vezes, a mesma família há gerações. De repente vi a mesma cena que havia visto na véspera: era verão e um bando de garotos de uns 13 anos, brincava em um pequeno regato, saltando em suas águas após se balançarem em uma corda pendurada no ramo de uma árvore, que avançava quase até a outra margem. Nesse momento comentei com meu companheiro de cabine, que também apreciava a cena:

— Passei por aqui ontem, e eles já estavam brincando. Os mesmo garotos no mesmo rio. Que maravilha...

Antes, porém, que eu completasse meu raciocínio, que teria reminiscências da infância e teorias sobre a importância de aproveitarmos cada fase da vida, ele me interrompeu:

— *Impossible!*

— Como disse? – perguntei, achando que ele não tinha entendido meu francês, ou eu é que não havia entendido o dele, pois, apesar de dizer apenas uma única palavra, já deu a perceber que tinha sotaque estrangeiro.

— Você disse que os mesmos garotos estavam nadando no mesmo rio, *était-ce?*

— Sim, foi isso mesmo, eu os vi ontem, quando viajei a Lyon.

— Então eu reafirmo: impossível!

— Como assim?

— É que uma mesma pessoa não pode banhar-se duas vezes no mesmo rio. Esta é uma impossibilidade, tanto *physique* quanto *métaphysique*.

— Bem, eram os mesmos garotos, exatamente no mesmo lugar – argumentei, com certa irritação.

— *Oui, je m'excuse, monsieur.* Você tem razão, eu fui grosseiro – disse o estranho, que continuou – pois seriam os mesmos garotos e estão fazendo a mesma coisa no mesmo lugar. Parece ser uma repetição, um *moto perpetuo* de um acontecimento, mas, se você olhar bem de perto, com atenção genuína, vai perceber algo *fantastique*.

Como ele se calou por alguns instantes depois de dizer isso, eu fui obrigado a dar-lhe corda para que se explicasse melhor.

— E que coisa fantástica seria essa, que eu poderia identificar em garotos brincando em um riozinho em pleno verão na *campagne française?*

— *Alors*, você disse que havia visto a mesma cena ontem. Mas, imagino que pelo menos 24 horas se passaram entre um acontecimento e outro, *ai-je raison?*

Concordei com a cabeça que ele tinha razão, sim.

— *Puis*, nessas vinte e quatro horas, ainda que pareça despercebido para uma análise rápida, muita coisa aconteceu. Esses garotos não são exatamente os mesmos de ontem, acredite. Só parecem ser. Imagine que um deles, que podemos chamar de Pierre, de ontem para hoje pegou um resfriado, e não está brincando com a mesma disposição. O Jean-Jacques levou uma bronca de seu pai que descobriu que ele reprovou de ano, e o René conheceu a Sophie, uma amiga de sua prima que veio de Paris passar as férias no campo, e ele caiu de amores por ela. *Ah, l'amour à première vue.*

Ele disse isso lançando um olhar para o céu através da janela e esboçando um meio sorriso. Eu estava acompanhando o raciocínio de meu imaginativo companheiro de viagem, e o que ele dizia começava a fazer sentido. Resolvi demonstrar atenção, e ele continuou:

— Você ainda acha que são exatamente os mesmos *garçons*, que estão lá naquele rio? Pequenos

um novo olhar

acontecimentos marcaram suas vidas, e eles não são mais, definitivamente, as mesmas pessoas. E, além disso, a água que os banhou ontem já está muito longe daqui, agora faz parte de um rio maior, ou foi absorvida pelas margens, ou foi bebida por um animal e já virou urina, ou, ainda, pode ter evaporado, e agora é uma nuvem que vai chover na Bretanha só na semana que vem. Hoje, a água é totalmente outra, *mon ami*.

Meu companheiro de cabine estava se referindo ao fato de que a vida é uma sucessão de acontecimentos que modificam as circunstâncias a todo momento. Só que, na imensa maioria das vezes, essas modificações são tão pequenas, verdadeiramente sutis, que se tornam imperceptíveis à observação despreparada. Mas, nem por isso, são menos importantes.

Costumamos nos referir às mudanças quando elas são grandes, sentidas, significativas, às vezes radicais. Entretanto, a história não é construída só por esses acontecimentos marcantes. Antes, ela depende das pequenas mudanças que, às vezes constroem progresso e, às vezes providenciam retrocesso.

Um casamento, por exemplo, não é no quinto ano, como era no primeiro. Pode ser melhor ou pior, mas nunca será igual. E o que o tornou diferente foi a sucessão dos pequenos acontecimentos que constituem a rotina da convivência. Duas pessoas vivendo juntas vão tomando a forma uma da outra, como o colchão se amolda ao corpo e o pé alarga o sapato. Lentamente.

O cidadão à minha frente se referia a isso, quando usava os garotos e o rio como metáforas. Mas nossa conversa não tinha se encerrado. Comentei:

— Olhando por esse ângulo, você tem razão. Se considerarmos as pequenas variações, a cena será totalmente diferente, assim como eu estou voltando desta curta viagem a Lyon, também diferente. Aliás, sou outra pessoa, após o jantar de ontem.

— Na verdade, *mon ami*, você é a mesma pessoa, e aqueles garotos também são os mesmos, nadando no mesmo rio. É tudo igual, sim, só que diferente.

— Bem, agora você está me confundindo, sendo paradoxal. Ou é uma coisa, ou é outra – disse, mais uma vez um pouco irritado.

— Aí é que está a beleza das coisas. Elas não precisam ser necessariamente uma coisa, ou outra. Podem ser uma coisa e outra. Há pouco sentimos que o trem estava em uma subida, mas quando ele fizer a viagem de volta estará naquele mesmo lugar só que em descida. Seu copo de vinho está, observe, ao mesmo tempo, meio cheio e meio vazio, e isso não tem nada a ver com seu grau de otimismo ou pessimismo. É a realidade. Isso chama-se "unidade dos opostos", que é exatamente o que cria desequilíbrio e providencia movimento. Por isso, tudo flui na vida: o rio, o trem, os acontecimentos.

— Então, em sua opinião, não há impasse em sermos, ao mesmo tempo, iguais e diferentes?

— Exatamente. Não há impasse. Há dualidade.

um novo olhar

O impasse surge da incapacidade de dois acontecimentos – ou duas ideias – poderem coexistir no mesmo tempo, ou no mesmo espaço. Só que isso só acontece se deixarmos. A arrogância humana, por exemplo, é um provocador de impasses. O pensamento, quando opta pela humildade e pela inteligência, vai perceber que na vida existem só dualidades. Os opostos não são incompatíveis e são, inclusive, interdependentes.

Foi uma bela viagem a Lyon. Encontrei amigos, conheci um restaurante espetacular, tomei bons vinhos, apreciei a bela paisagem e ainda por cima tive essa conversa instigante com um desconhecido na cabine do trem. Quando chegamos a Paris-Gare de Lyon, estávamos, ambos, ocupados com nossos pertences e nossos pensamentos. Com o trem parado e as pessoas se mexendo em direção a seus próprios destinos, estendi a mão ao cavalheiro à minha frente, e lhe disse:

— Foi um prazer conversar com o senhor. Falamos sobre tantas coisas e nem sequer nos apresentamos. Meu nome é Eugenio e eu sou do Brasil.

— *Ah, Brésil, un pays magnifique.* Muito prazer. Meu nome é Heráclito, de Éfeso. Dizem que sou grego, mas na verdade sou turco. Mas não há conflito nisso. Sou apenas humano. *Au revoir.*

E foi embora, deixando-me como me encontrou. Porém, diferente. Quando o olhei caminhando na plataforma à minha frente, notei que ele estava usando um terno folgado, carregava uma valise em uma mão, o sobretudo enrolado no outro braço e nos pés, sandálias de couro confortáveis.

CONHEÇA OUTRAS OBRAS DO AUTOR

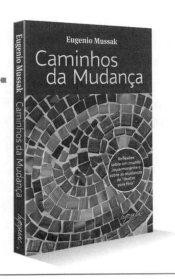

CAMINHOS DA MUDANÇA

Autor: Eugenio Mussak
ISBN: 9788599362273
Número de páginas: 192
Formato: 16x23cm

PRECISO DIZER O QUE SINTO

Autor: Eugenio Mussak
ISBN: 9788599362617
Número de páginas: 224
Formato: 14x19cm

COM GENTE É DIFERENTE

Autor: Eugenio Mussak
ISBN: 9788582110607
Número de páginas: 216
Formato: 14x21cm

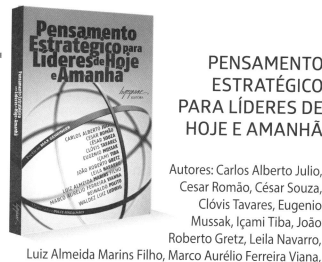

PENSAMENTO ESTRATÉGICO PARA LÍDERES DE HOJE E AMANHÃ

Autores: Carlos Alberto Julio, Cesar Romão, César Souza, Clóvis Tavares, Eugenio Mussak, Içami Tiba, João Roberto Gretz, Leila Navarro, Luiz Almeida Marins Filho, Marco Aurélio Ferreira Viana, Reinaldo Polito, Waldez Luiz Ludwig
Organização: Dulce Magalhães
ISBN: 9788599362280
Número de páginas: 128
Formato: 16x23cm

Contato do Autor

www.eugeniomussak.com.br
contato@mussak.com.br
(11) 3661-2765

Conheça as nossas mídias

www.twitter.com/integrare_edit
www.integrareeditora.com.br/blog
www.facebook.com/integrare
www.instagram.com/integrareeditora

www.integrareeditora.com.br